JN066088

アナウンサー、ナレーター
下間 都代子
SHIMOTSUMA Toyoko

「この人なら!」と秒で信頼される声と話し方

日本実業出版社

はじめに――秒で始まる信頼関係

「海に入るときはちゃんと手を繋ぎますからね」

私が言うと、彼女はにっこり頷いた。私の主催する講座の説明会。オンラインの画面越しに25人ほど集まったときのワンシーンである。「海に入るとき」の「海」とは本当の「海」ではなく、講座で指導し、受講者が体験する「新しいチャレンジ」のたとえのことだ。

こうして彼女は私の講座を受講。さらにその後、マンツーマンのボイスレッスンを受けると、たった1回、しかも30分もしないうちに長年のトラウマだった「声の悩み」を解決した。

この結果に至ったのには次の大きな理由があると私は感じている。それは…

「**私が彼女から信頼されていたこと**」

あとで彼女に聞いてみると、最初の講座説明会のときに、

「海に入るときはちゃんと手を繋ぎますからね」

と私が言った瞬間、「この人なら」と思ったのだそうだ。


「信頼」されるまでにかかる時間は人それぞれだ。

出会ってあっという間に仲良くなり、信頼関係になるまで深まる人もいれば、どれだけ時間をかけても、いくら話し合っても深まらない人もいる。


両者にはどのような違いがあるのだろうか。

どのようにすれば「信頼」される人になれるのだろうか。

そして、少しでも早く「信頼」されるためには何が必要なのだろうか。


ズバリ！

「声」と「話し方」であなたは「信頼」される人になれます。

●「声」と「話し方」でわかること

自己紹介が遅くなりました。私はフリーアナウンサーでナレーターの下間都代子（しもつまとよこ）です。

私はあらゆる「声」にまつわる仕事をしています。「声」にまつわる仕事と言っても多岐にわたり、もともとFM局のアナウンサーから始まり、レポーターやラジオのパーソナリティ、司会、ナレーション、講師業など、とにかく「話す」という「声」を使った仕事を30年以上やっています。

よく「私は永遠の28歳よ」などと公言していますが、実はあれ、嘘です。おや〜、「嘘」をつく人は「信頼」されないはずでは…?

いえいえ、これもあとで出てきますが「信頼」に繋がるのです。「ユーモア」は、人をリラックスさせ、安心感を与えることができますから。

さて、ここで質問です。

「声」と「話し方」について、あなたはどれくらい価値を感じているでしょうか。

私がＳＮＳを使って約２０００人にアンケートをとったところ、「自分の声が嫌い」という人は全体の約７割にのぼりました。理由としては「声が良くないから」がほとんど。自分の声は変えられないと思っている人が多いのですよね。

しかし、「良い声」と「悪い声」の定義はなんなのでしょうか。多くの人が「声が綺麗」かどうかを基準に考えているような気がします。

私はそうは思いません。だって、しわがれていても「良い声だなぁ」と思う人っていますから。ですから、「声」の良し悪しのポイントは、本当はもっと別のところにあるのです。そして、その良し悪しに大きく関わってくるのが「話し方」なので、この**「話し方」一つで、あなたの「声」は良くも悪くも印象が変わってしまうのです。**

「人は見た目が大事」と言われますが、「見た目」は化粧や衣装や振る舞いで、なんとでも誤魔化しがききますよね。しかし、「声」に関してはよほどの声のプロフェッショナルでない限りは「人柄」が出てしまいます。そう、「人柄」です。

例えば「声が小さい人」はどうでしょうか。気が弱そうに感じませんか？

そういう人は自信がなさそうで、仕事関係だった場合、「この人大丈夫かなぁ、なんだか頼りなさそう」と、「信頼」してお任せできそうにもありません。

だからと言って、もちろん「大きい声」であれば良いわけでもありません。というのも、ここで「声」に加えてさらに大切になってくるのが、先ほどもお伝えした「話し方」なのです。


声には「人柄」が現れますが、話し方には「人間性」が現れます。


ちなみに、ここでいう「人柄」とはその人の性格や品のことで、「人間性」はその人の本性のようなものだと考えてください。

例えば、初対面の相手。声は大きいけれど横柄な話し方だったとしたらどうですか？「なんか態度が上からだなぁ。振り回されたら嫌だなぁ」。こんなふうに思うのではないでしょうか。

このように「声」と「話し方」だけで、相手のことがすぐにわかってしまうのです。逆

◎声には「人柄」、話し方には「人間性」が現れる

にいうと、あなたも「声」と「話し方」で、相手に見抜かれているかもしれません。いかに相手のことを思っているか、逆に、いかに自己中心的な考え方をしているかを。

後者の場合、その「話し方」をやめない限り、あなたは「信頼」とは、無縁の人生になってしまいます。

「信頼」されるなんて、そんな簡単にはいかないのでは？　と思ったあなた。そうですね。確かに、信頼関係を築くには時間がかかることもあります。

長年一緒にプロジェクトに取り組んできて、苦労をともにしたからこそ、「信頼関係」が築けた人もいるでしょう。一方で、

せっかく長年築いた「信頼関係」を一瞬にしてダメにしてしまう人もいるでしょう。

ですから、必ずしも時間と共有体験の積み重ねの上に「信頼関係」があるわけではないのです。

そういえば、「信頼関係」をダメにしてしまったきっかけが「たったひと言」「ちょっとした話し方」だった、なんてこともありますよね。

逆に、「声」と「話し方」で「信頼」を〝秒〟で築くことも可能です。

現に私の事例があります。

冒頭の話に戻りましょう。彼女は私をすぐに信頼してくれました。それはなぜだと思いますか？

それは、私が、その場と、そこにいる**相手を尊重した上で、適切な「声」を使って、相手にとってわかりやすく、寄り添った「話し方」をしたから**です。ただそれだけでした。

さらに加えて言うならば、私は自分の講座について、「本音」で話していました。

ところで、彼女の長年の「声の悩み」というのは「自分には大きな声が出せない」ことでした。小学生時代に先生から受けた厳しい指導によりトラウマになってしまったようですが、それは思い込みでした。

30年以上ずっと抱えていた「声の悩み」をあっという間に解決させたのですから、彼女にしてみれば衝撃ですよね。彼女は以来、私を「声の神様」と呼ぶようになりました。

こんな呼び方をされたら恥ずかしいですし、バチが当たりそうですが、それくらい彼女にとっては魔法のようで、長年の呪縛から解放された出来事だったのです。

では、私は何をやったのか？どうやって呪縛を解いたのかと言いますと…

実は、そんな魔法などはなく、普段からやっているボイストレーニングの指導をしただけでした。しかし、その効果は絶大だったのです。

「声が出せた」

自分で自分が信じられない、というように、彼女は目を丸くしました。

数々のビジネス書にはコミュニケーションの方法や、「信頼」されるためのノウハウが書かれていますが、私が彼女と信頼関係を構築したのは、オンライン説明会での私のたったひと言、〝秒〟の出来事でした。

それを私は無意識レベルでやっているので多くの人に「信頼」を寄せてもらうことができています。はじめは自分自身そのことに気づいていませんでした。しかし、そのうち「あれ？　もしかして」と、自分が「信頼」される理由がわかるようになり、それは今や確信に変わっています。

繰り返しになりますが、**私が〝秒〟で信頼されたのは、私の伝えた言葉の内容というより、適切な「声」と寄り添った「話し方」だったから**なのです。

● 2種類ある「本音」

ここで「本音」について簡単に説明しましょう。

私は日頃から「本音」で話していますし、話したいと心がけています。

「本音」で話すとき、「声」には「真実味」があふれてきます。これが先ほど言った「人柄」です。

そして、単に**「自分が言いたいだけの本音」ではなく、相手目線で考えた「伝えたい本音」で話すことが大切**です。

後者の「伝えたい本音」で話すとき、「話し方」には相手への「愛」があふれてきます。

「愛」というと大袈裟かもしれませんが、今、私は、「相手を思いやる心」や「慈しむ心」のことを「愛」と表現しています。

「愛がだだ漏れですね」

私はよく人からそんなことを言われます。「愛がだだ漏れってどんなんや！」と思いながら、照れくさいけれど、本当のところ、とても嬉しい褒め言葉です。

ただ、これは、私が声を使った仕事をしている専門家だから〝愛がだだ漏れ〟の「声」や「話し方」になっているのではありません。たとえ「声」が綺麗なアナウンサーでも**「話し方」についつい「冷たい人間性」が滲(にじ)み出てしまっていたら、「信頼」されないし「愛」も感じられませんよね。**

◎本音には２種類ある

とはいえ、残念ながら私も昔から「愛がだだ漏れ」だったわけではありません。

自分で言うのもなんですが、「声」は良かったものの、「人間性」がダメでした。ああ、恥ずかしい！

私は昔から「本音トーク」主義でした。しかし、その頃は「本音をズバッと言って相手を言い負かす」ための「本音トーク」だったのです。

そう、これこそが「自分が言いたいだけの本音」。

なぜ、当時の私はそんな人だったのでしょう。

それはひとえに自分に自信がなかったか

ら。そして、自信がないのを隠すために、自分本位の小さな物差しで「自分が正しい！」と思うことを、「良い声」を武器にして強く押し付けていたのです。その頃に被害にあった方、本当にごめんなさい。

そんな私も、人生山あり谷あり、いろいろな人を見てきました。

その中で次第に気づくことができた、本当の意味での「本音」と、そこから築くことができた「信頼関係」は、生きていく上でも、仕事をする上でも、コミュニケーションを図るとき、今の私にとって、等しく一番大切なものになっています。

あなたは今、誰かに信頼されていますか？　信頼できる誰かがいますか？

本書は、人と話すのが苦手な方はもちろん、もっと仕事で信頼される人になりたいと思っている方、誰にも本音を言えず孤独を感じている方など、「信頼関係」を構築できるようになりたいという方のために、「声」と「話し方」を変えるだけであっという間に「信頼」される、私独自の楽しみながら学ぶことができる方法をお伝えします。

「声」と「話し方」を自分の武器にすることができたとき、「この人なら！」とあなたへの信頼が〝秒〟で構築されることになるのでお楽しみに。

ちなみに、ボイストレーニングは基本的に不要ですので、ご安心ください。

それでは、まず、このあと、あなたの心を少しだけ覗(のぞ)かせていただきます。

「まだ信頼してもいないあなたには覗かれたくない」と思う方もいらっしゃるかもしれません。そう思われた方はスキップしていただき、第1章にお進みください。

目次

序章 信頼できると心のヨロイを脱ぎたくなる

第1章

この人なら！と相手が語りだす「聞き方」

第2章

この人なら！ と安心できる「声の魔法」

第3章 この人なら！と信じられる「話し方」

第4章

この人なら！　とついていきたくなる「説得力」

第5章 この人なら！ と心震わす「声のエネルギー」

終章

もっと信頼される人になる「声と話し方」

カバーデザイン◆萩原　睦（志岐デザイン事務所）　本文デザイン・DTP◆初見弘一
編集協力◆本多一美　本文イラスト◆横井智美　コラムイラスト◆ホリベユカリ

序章

信頼できると心のヨロイを脱ぎたくなる

心のヨロイ

朝の連続テレビ小説『てっぱん』や、映画『嘘八百』シリーズなどで人気の脚本家・今井雅子さんが書いた『北浜東1丁目　看板の読めないＢＡＲ』という短編小説がある。

主人公がたまたま入ったバーのマスターが「お待ちしていました」と言って出迎える冒頭のシーン。

主人公はそのマスターのひと言を聞いて、心の中でこう思う。

「鎧（よろい）を脱がせる声だ」

「鎧を脱がせる声」とは、一体どんな声なのだろうか。

その昔、武士は鎧を着て、敵と戦った。鎧で自らの身を守り、強い意思で相手に立ち向かっていく。戦の場において、鎧はなくてはならないものだった。

今の時代、世界はさておき、日本では日常生活に鎧は必要ない。しかし、武具としての鎧は不要となったものの、人間関係においてはどうだろう？

「心の武装」と言えばピンとくるかもしれない。

現代においては「心の武装」のために頑丈な鎧をつけておかないと、ときに誰かから心ない暴言を受けたり、誹謗中傷されたりして、心が打ちのめされてしまうことがある。だから鎧は手放せないし、脱げない、と考えている人が多いことだろう。

「心のヨロイ（以降ヨロイと表記）」を常に身につけなければならないということは、片時も安心してリラックスすることができていない、ということを意味する。

自分以外の人に対して、「今、この人は自分のことをどう思っているのだろうか。敵か？味方か？」と、疑いながら付き合っている。

敵か味方かわからないうちは自分の本音を曝け（さら）だすことはできないので、通り一遍の話をして、その場を切り抜け、なんとか自分自身を守ろうとする。

相手に責められたり、傷つけられたりすることを防ぐために身につけるもの。それが「心のヨロイ」だ。

話は戻るが、では「ヨロイを脱がせる声」とはどんな声なのだろう。

良い声・悪い声

ちなみに、私は周りから「良い声」だと言われることが多い。声の仕事をしているし当たり前といえば当たり前。褒められて嬉しいけれど、良い声と悪い声の定義とはなんなのか？　とも思う。

人それぞれ好みがあるし、アナウンサーだから、声優だから良い声なのかと言えばそんなことはない。

私は中学時代、精神的に弱く、理科の授業中、突然お腹が痛くてたまらなくなることがたびたびあった。それはお腹を壊したときの痛みではなく、原因不明の腹痛だった。実は、その腹痛はその頃、誰にも言えない悩みを隠し持っていたことが原因だったと大人になっ

◎良い声と悪い声

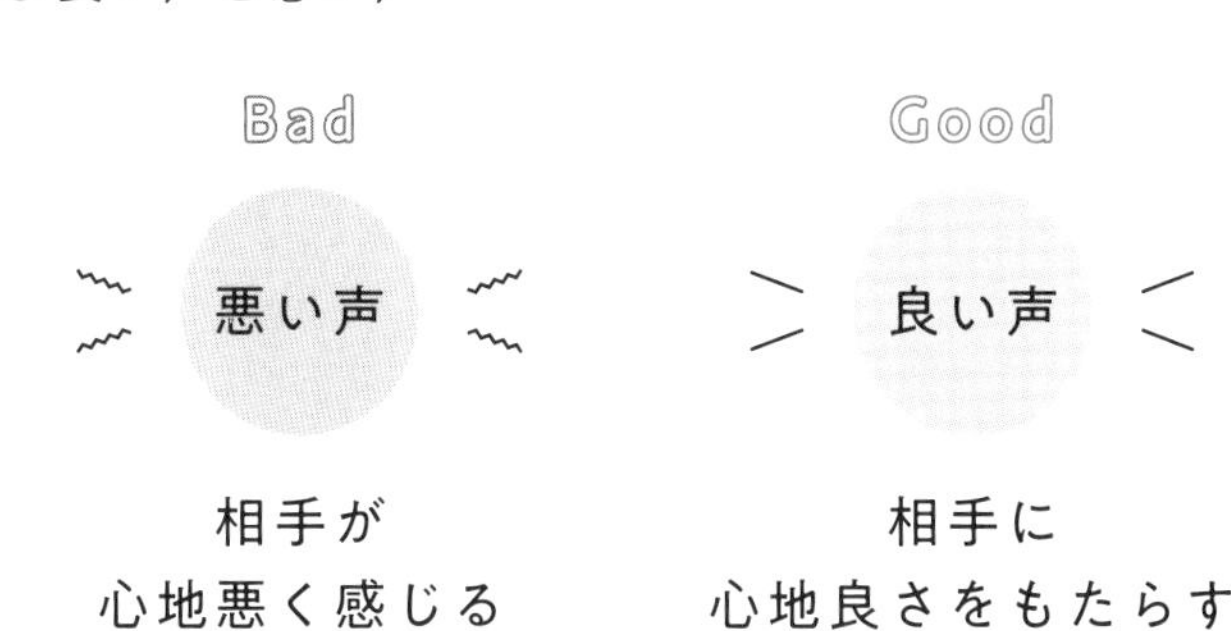

相手が
心地悪く感じる

相手に
心地良さをもたらす

て気づいた。

　その詳細はさておき、一度その急な痛みを体験すると、「また同じようになるのではないか？」という不安が先に立ち、理科の授業になるたびにお腹が痛くなった。

　決して担当の先生が嫌いだったわけではない。ただ、記憶の中に、「理科の授業中に起こる」という恐怖と不安が深く刻まれてしまっていたのだった。

　それで、お腹が痛くなると、授業を抜けて毎回、保健室に駆け込んでいた。

　当時の保健の先生は若くて面白い女性だったのだが、私が「先生、またお腹痛くて」と悲壮な顔でやってくると、優しく「大丈夫だよ」と言って、ベッドで休ませてくれた。

　そのときの先生の声はいつもの面白い先生とは違

い、まるで天使のようになる。私は先生の声に包まれて「なんて優しい良い声なのだろう。これで大丈夫だ」とほっとしたものだった。

歌が上手だとか、声に透明感があるとか、声が大きくてよく響くとか、**いろいろな定義はあるだろうが、「良い声」はその人にとって心地良さをもたらすかどうか**、だけだ。そして「悪い声」はその人にとって、たまたま心地が悪いと感じただけなのである。

「良い声」「悪い声」には基準はなく、誰も決めることなどできない。

もちろん、私はアナウンサーであり、ボイストレーナーでもあるので「良い声になるために」という講座をやっているが、本当のところは、声の良さも大事だが、その人の「話し方」や「話す内容」のほうが大事であると受講生に伝えている。

ただ、「話し方」と「話す内容」に加えて、「聞きとりやすい声の大きさ」や「とおる声」「ハキハキした話し方」であったほうがより良いとは思う。

例えば、せっかく良いことを話していても、声が小さかったり、滑舌が悪すぎて何を言っているかがわからなかったりすると、聞き手に伝わらないのでもったいない。そのために私はボイストレーニングの指導を続けている。

話すことは聞くこと

アナウンサーという私の職業上の話だけでなく、一般的に、誰にでも言えることなのだが、**「話すこと」は、相手の話をまずは「聞くこと」だと考えている。「聞いて」こそ「話せる」**。そして、会話が弾み、コミュニケーションが成り立つ。

私は、『耳ビジ★耳で読むビジネス書』という、音声SNSの番組をやっている。ビジネス書の著者をゲストに招き、話を聞く、という内容で、2021年の4月からスタートした。

平日の毎朝、月曜日から金曜日までの5日間、1人の著者に深掘りインタビューをし、その人数は年間100人以上になる。番組リスナーにも話を聞くので、その人たちを合わせるとインタビュー人数は少なくとも5倍になるだろう。

インタビューは予定調和の質問ばかりしていても深まらない。

質問に対して相手が答えた内容から、さらに次の質問へと繋げていくことが大切だ。そのためには、相手の話をきちんと聞かなければ始まらない。聞いて、理解した上で、興味深い情報を見つけて、また質問していく。

このような展開は、普段の家族や友人との会話でも同じ。クライアントのニーズを聞きだすときも同じ。会議の場での意見交換も同じである。

コミュニケーションの基本は「聞く」ことが起点と言って良い。

私自身も、番組内のインタビューのほかにも、コンサルタントとして、相手から情報を引きだす会話が多いので、それらを加えると、アナウンサーとはいうものの、もはや私の職業は「話す仕事」というより「人の話を聞く仕事」と言っても過言ではないかもしれない。

そこで、人の話を聞くとき私が大切にしているのが、初対面の人でも、そうでない人でも、「相手に少しでも本音で話してもらう」ということだ。

本音と素顔がポロリ

実は服役していた・離婚経験が2回・前の座席の人を怒鳴りつけた・ダメ人間だった・嫉妬している・悔しかった・虐められた経験がある…

これらはすべて、インタビューをしているうちに相手がポロリと話してくれたプライベートな一面だ。見てわかるように、基本的にプロフィールとしてはマイナスになりそうなことばかり。

しかし、それを話してくれるということは、人生の中で誰でも一度は感じたことがあるかもしれない気持ちを曝(さら)けだしてくれた、と言える。

こういう話を聞かせてもらったとき、私は心から感謝する。そして、いつもその人の言いたいことのすべてを理解し、受け止めたいという気持ちで話を聞いている。

その際、私が**相手に「心の武装」をさせてしまう「声」と「話し方」であってはいけないわけで、いかに「ヨロイ」を脱がせられるか、が鍵となる。**

「ヨロイを脱がせる」というのは相手が安心感を覚え、この人のことを信じてもいいな、本音で話してもいいな、と思える心地良い関係性があってはじめてそうなる。そして、こちらから「脱がせる」というよりは**「自然とヨロイを脱ぎたくなる」関係**というほうが理想的だろう。

私が実践している相手が自然と「ヨロイ」を脱ぎたくなる「声」と「話し方」を身につけていただき、「この人なら！」と信頼される人になって欲しい。

「聴す」精神

話す仕事というより話を「聞く」仕事。

と先ほど書いたが、この「聞く」という漢字。ほかにもいくつかあり、少しずつ使う場面が違う。

「訊く」そして「聴く」。後者の「聴く」という漢字「聴」の送り仮名を「聴す」と書いたら、なんと読むかご存知だろうか？

「聴す（ゆるす）」と読む。

この読み方を知ったとき、私は感動した。

そうか、**聴くことは相手の話を受け容れ、「ゆるす」こと**なのか、と。

この「聴す（ゆるす）」については終章でもう一度詳しく説明するが、不思議と信頼し、**本音を話したくなる人の「声」と「話し方」には、この「聴す」精神が宿っている**のではないだろうか。だからこそ、相手がリラックスし安心してヨロイを脱いでくれる。

このように、相手がリラックスして安心できる「声」や「話し方」、コミュニケーションの方法を、私は仕事やプライベートで多くの人と関わる中で失敗を繰り返しながら学んできた。たくさんの失敗を経験したおかげか、今では〝秒〟で打ち解け、信頼関係を築けるようになった。

例えば、「人にこのような話をしたことは、はじめて」と自らの秘密を打ち明けられたり、「こんなふうに人前で泣いてしまったのは、はじめて」と涙を流して感謝されることがたびたびある。

〜 COLUMN 〜

「聴す（ゆるす）」との出会い

2011年3月11日に発生した東日本大震災。当時の私はいてもたってもいられず、ボランティア活動をするため岩手県に向かった。5月のことだった。以来、3.11の前後には震災を忘れない、との想いで仲間とともにイベントを開催している。

岩手県釜石市の菊池のどかさんは、中学3年生のときに被災。今は語り部として活動している。

2022年、イベントに登壇してくれた菊池さんがこう話してくれた。

「海のこと、人のこと、自分のこと、いろいろな後悔はあるけれど、それらを許すことが被災地で生き続ける自分に必要なこと」

私の胸は締めつけられた。菊池さんが、あの日からずっと、自分を許せない日々を送ってきたことを意味するから。

彼女の話のあと、同じ想いを抱いていたのだろう、イベント実行委員長が「聴す」と書いて「ゆるす」と読むのだと教えてくれた。

相手の話を受け止めるだけでなく、自分の心の声に耳を傾け受け容れる。

それが私と「聴す（ゆるす）」との出会いだった。

初対面にもかかわらず、さらに、私はカウンセラーでもなんでもないのに、である。なぜだろう？　と思っていたが、それは相手が私と話すうちに**「この人なら！」と感じ、自ら重いヨロイを脱いで、子どもの頃のように素直に身軽になって話をしてくれているからだとわかってきた。**

これは何も私が声と話し方のプロだからできていることではない。誰にでもできるはずだ。

安心↓本音↓信頼

例えば前述の「良い声」と「悪い声」の定義の話でいうと、しわがれた声であっても心に響く話し方の人がいる。たとえ掠（かす）れ声だとしても、その人の「伝えたい」という気持ちや、その人の持つ器の大きさ、エネルギーの高まりのようなものが、その人の「声」と「話し方」から伝わってくることもある。

おそらくこれは、その人が着飾ることなく、**人柄そのままに声を出し、本音で話をしているから心に響き、伝わる**のだと思う。ただそれだけ。

無理して格好つけようとしたり、良いことを喋って感動させてやろう！　などと思ったり、よそ行きの声を出して、よそ行きの話し方をして本心ではないことを伝えたりしていたら、相手にそれがすぐにバレてしまう。

「ああ、この人は嘘を言っているな」「この人は本音で話していないな」と感じたとき、相手に対して、あなた自身が本音で話すだろうか。一方、「この人はまっすぐにこちらを見てくれて、本音で話しているな」と感じたり、「自分のすべてを受け止めようとしてくれているんだな」と感じられたりする人には、思わず「この人なら！」と本音を打ち明けたくなるのではないだろうか。

今、あなたと付き合いのある人たちみなが、このように信頼でき、安心してなんでも話せる相手だったら、どんなに楽だろう。

家族や友人はもちろん、職場でも自分の考えや悩みを本音で話すことができたら、どんなに安心して過ごせるだろう。どれだけ仕事がスムーズに進むだろう。

はじめての高級レストラン。

緊張感いっぱいで訪れたとき、接客するスタッフの話し方がとても自然で心地の良い声だったら？　一気に緊張がほどけて、自分はこの店にお邪魔してもいいのだなと思え、最高のディナータイムとなるのではないか。

このように、人と人が本音で付き合うためには「声」と「話し方」が大切であり、そのような**「安心感」ひいては「信頼感」をあなた自身の「声」と「話し方」で与えるのは可能である。**

ただし、前述のように、いきなり「話し方」だけを学んでも「信頼」には至らない。

「話すこと」は「聞くこと」

人の話を「聞く」ことも「話し方」の一つ。

次章では「聞き方」の方法と、「声」の力を使った「信頼」を得るための相槌の技法をお伝えする。

序章 Point

- 心のヨロイとは「心の武装」。自身の心を守るために身につけているもの
- 「良い声」「悪い声」の定義。そこに基準はなく、人それぞれの好みがある
- 話すことは聞くこと。コミュニケーションの基本は聞くことから始まる
- 相手が言いたいことを、すべて理解し受け止めたいという気持ちで話を聞く
- 伝えたいという気持ちがその人の「声」と「話し方」から伝わってくるのは、その人が人柄そのままに声を出し、本音で話しているから心に響き伝わる

第1章

この人なら！と相手が語りだす「聞き方」

「聞き方」を変えればメンターになれる！

序章でも書いたが、私の仕事は「話す」ことも大切だが「聞く」ことも大切だ。なんなら**「話し方」より「聞き方」のほうが重要**なくらいで、これができないうちは、相手は信頼感どころか警戒心をむき出しにし、「心のヨロイ」を身につけたままになってしまう。

では「聞き方」は具体的にどうすれば良いのかというと、まず次の5つのポイントがある。

❶相手に関心・興味を持つ
❷質問をする
❸相槌とリアクションをする
❹受け止める
❺表情に出す

この5つのポイントは、どのような場面でも、どのような相手・対象者であってもほぼ同じ。職場の上司の、あまり面白くない話であっても、これをやってあげられれば「信頼」されるし、先生が生徒にこういう対応をすれば「メンター」や「師匠」と呼ばれるようになるかもしれない。

もちろん恋愛にも生かせる。

自分の話をこんなにも興味を持ってリアクションしてくれて、かつ面白そうに聞いてくれたら〝秒〟で即落ち！　の可能性は大きい。

ところが、「わかっちゃいるのにできない」人のなんと多いことか。
「だって全然興味が湧かないもの」
「そもそも苦手な人にはどうするの？」
とよく質問される。

ここで大前提として考えていただきたいのは、**今、目の前にいる相手が、あなたにとって必要な人かどうか。**

例えば、それが職場の上司や部下、同僚であれば、ぜひ円滑な仕事環境を作る上で、実践して欲しい。しかし、たまたまバーで隣り合わせた人に話しかけられて、しかも好みのタイプでないのなら必要ない。

というのも、この「聞き方」を実践すると、「好意を持たれてしまう」から。興味のない人からモテる危険があるので気を付けて欲しい。

だから、あくまでも**本書でお伝えするスキルは、「信頼」を得たいと思う相手にだけやって欲しい。**

しかし、もしもあなたが、嫌いな上司や苦手な同僚と、（いやいやながらも）多少は信頼関係を築きたいのであれば、これから説明する方法を試していただきたい。

興味ゼロから興味津々に変わるものの見方

苦手な理由探しから始まる興味

「私の隣の席の上司がずっとつまらない話をしてくるんです。どうしたらいいですか？」

あるとき、私の生徒さんから相談を受けた。確かに、そういう人はいる。

「この人面白そうだなあ」「素敵な人だな」と、第一印象で興味を持つと、人はその人のことを「もっと知りたい」と思う。そうなると、かなり前のめりで、目を輝かせて話を聞き始める。

そしてリアクションが大きくなり、相手からも好印象に見られたいがために、大袈裟に笑って喜ばせることもある。みんな本当にわかりやすいのである。

しかし逆に、大のオトナが、「相手に関心がないから」と、無表情でリアクションもしないとなると、当然のことながら相手がよほど鈍感でない限りはこう感じる。

「ボクのこの話に興味がないのかな」から始まり、そのうち「この人はボクの敵だ」となって、シャッターガラカラ。ヨロイを脱がせるどころか違う武器まで持ちだしてくるかもしれない。

これを職場や接客の場、学校、家庭、男女の間、あなたにとって大切な人にやってはいけない。

よく、コミュニケーション本などで「まずは相手の良いところを褒めることから始める」と書いてあるが、それも有効な一つの方法だ。

例えば、どこにも興味をそそらないものの、唯一持っているスマホケースがイケていたならこう声をかけよう。

「それ、素敵ですね。どこで買ったのですか？」

好意的な興味から会話をスタートさせると、たいていの相手は嫌な気持ちにはならないので少し心を許してくれる。ヨロイこそまだ脱がないが、手にしていた武器は下ろすかもしれない。

ただ、問題は「なんとなく苦手」「そもそも嫌い」な人と人間関係・信頼関係を構築しないといけないときだ。こういう相手と対峙したとき、まずは自分に問うてみよう。

「私はなぜこの人が苦手なのだろうか」

この「苦手な理由」をまず探すことが重要。理由は必ずしも明確でなくても良い。「雰囲気が苦手」「顔が嫌い」「声がいや」「話し方が好きになれない」など。

初対面の相手の場合は性格までわからないので、このあたりが理由として浮かんでくると思う。

一方、以前から知っている相手の場合は「いつも嫌味」「不愛想」「軽薄」など、苦手な理由が山ほど出てくるかもしれない。

とにかく苦手な理由を探してみて欲しい。そして次にこう考えるのだ。

「この人、なんでこんな感じになったんだろう」

◎苦手な理由を探す「分析ゲーム」

お気づきだろうか。すでにこの時点で、あなたはこの人に興味・関心を抱いている。

「素敵だから」「面白いから」というポジティブな興味だけでなく、このような「苦手」な点も興味の対象になる。

ここから、相手のことを「知ってみよう」「調べてみよう」「探ってみよう」という気持ちに繋げ、答え探しを、まるでゲームのように進めていけば良い。

こうすれば、苦手な人の話も興味深く聞けるようになる。

ゲーム感覚で分析を楽しむ

ところで、このような**「苦手な人」に興味を持ち、探っていくと、面白い発見に出会う**

ことがある。

私は年間１００人以上にインタビューをしているのだが、当然、なかには「いかにも気が合わなさそうな人」もいる。しかし、先ほどの考え方で、私はその人に興味を持ってしまう。

「声が冷たいな」「愛想笑いがすごいな」「声が小さいな」「圧が強いな」などといろいろと気が合わなさそうな理由がある。これらの印象を与える人すべてに言えること。それは「ヨロイを身につけている」ということ。

それぞれのヨロイに隠された心を覗(のぞ)いてみよう。

・声が冷たい人…深入りされないように防御しているタイプ
・愛想笑いの人…明るいふりをしているタイプ
・声が小さい人…自信がないのか怯えている印象のタイプ
・圧が強い人……負けないように虚勢を張っているタイプ

みなさん大変そうだ。なぜこんな重いヨロイをつけたまま我慢しているのかしら？　と思うと、おせっかい魂に火がついて、ヨロイを脱がせてあげたくなってくる。

「私はそんなあなたに興味を持っています」

なんとかしてこの気持ちを伝えたい。とはいえ**「興味あります！」と単刀直入に言うと、拒絶反応を起こして、ますます防御され、心の距離が遠ざかる**ことがあるので、まずは**「無難な質問」からスタートすることが大切**だ。

「そうなんです」を引きだす質問力

初対面で心の扉を開く質問

質問は的確に良いタイミングでできると「信頼」に直結する。まずは簡単なこと、無難なことで構わないので質問をしてみよう。

私はワインが好きで、友人たち、ときには1人でワインバーに飲みに行く。そして、飲みに行った店で、隣に座った知らない人と話をする。

そんなとき、最初に話しかける際に一番無難な質問はこれだ。

「この店にはよく来るのですか？」

このとき、私はその人と特に「信頼関係」を築こうとしているわけではないので、その後、もっと関係を深める質問をするかどうかは場合によるのだが、こんなありきたりな質問からでもコミュニケーションはスタートさせられる。あくまでも最初の軽いやりとりとしての質問だ。

この最初の質問のあと、もしも、

・もっと仲良くなりたいと思ったとしたら

・スピーディーにその人と打ち解けたいとしたら

次にどんな質問をすれば良いだろうか？

お洒落なワインバーのカウンターにて、という設定で考えてみよう。

「この店にはよく来るのですか？」

という質問に対して次の3つの答えが返ってきたとする。

①「はじめて来ました」
②「はい、ときどき（よく）来ます」
③「2回目です」

さて、あなたはさらにどう返答するだろうか。

「そうなんですね」

「そうですか」

「へえ」

この3つの返答は、相手の答えのどれにでも対応できるリアクションである。しかし、これだけで終わってしまったら…『以上。会話終了』、である。

もう少し話をしたかった場合、次の話題を探すだけでも疲れてしまう。

もしも私なら、**先ほどのリアクション「そうなんですね」「そうですか」「へえ」のあとに、次の①〜③の言葉を付け加える。**

「この店にはよく来るのですか？」

①相手「はじめて来ました」

自分「そうですか。**気に入りました？**」

②相手「はい、ときどき（よく）来ます」
自分「へえ、**この店がお気に入りなんですね**」

③相手「2回目です」
自分「そうですか。**また来ちゃったんですね**」

この返答、どうだろうか。

「ふーん。そういうのもあるよね。で？」と思ったあなた。実は私がこのような返答をしたのには「ある理由」があることをお気づきになっていないようだ。

今の私の返答を受けて、相手がさらにどんなリアクションをするか想像してみて欲しい。

細かいシチュエーションは脇に置いておいて、素直になんと答えるか？


もう一度、一連の流れで見てみよう。

《①の場合》

「この店にはよく来るのですか？」

「いえ、はじめて来ました」

「そうですか。**気に入りました？**」

「はい、気に入りました」

「この店、雰囲気良いですよね」

「そうですね」


こんな感じに展開していくだろう。

《②の場合》

「はい、ときどき（よく）来ます」

「へえ、**この店がお気に入りなんですね**」

「はい、そうなんです」

《③の場合》

「2度目です」

「そうですか。**また来ちゃったんですね**」

「はい、そうなんです」

この3つの例で何が言いたいかというと、どの返答にも、相手が「**はい（イエス）**」または「**そうです**」「**そうなんです**」という**【肯定の言葉】**を使っているということ。

人は自分の気持ちを言い当てられたり、代弁してもらえたりしたときに「はい」または「そうです」「そうなんです」と言う。

そして、「はい」「そうです」「そうなんです」と**【肯定の言葉】を何度も言うことで、相手に対して「この人は私の気持ちをわかってくれる人だな」「感覚が似ているな」と思い始め、次第に相手に対して「共感」を覚える。**

そのうち、初対面で、まだどんな人かがよくわからないながらも、心の扉を開いても良いかな？　という気持ちになってくる。

バーで隣り合わせになった初対面の人に対して、家はどこだ？　仕事はなんだ？　と根掘り葉掘り聞いてコミュニケーションを図るよりも、**相手が「はい」「そうです」「そうなんです」など、答えやすい質問を投げることからスタートする**と、心の扉は開かれやすくなる。

その上で、もっと親しくなりたいと感じたなら、この「信頼される聞き方」を実践しながら、住む場所や仕事や趣味など、さらに関係性を深めていく「的確な質問」をする。

さて、私は今、相手に「はい」「そうです」「そうなんです」と言ってもらえる質問をするのが初対面では有効だと書いた。

実は、質問に限らず、「**的を射た確認**」でも、**【肯定の言葉】**を引きだすことができる。

言語化と確認は信頼のはじまり

初対面の場合、こちらの質問に対して、相手が必ずしも的確な返事ができるとは限らない。世の中、伝えたい気持ちをうまく**【言語化】**できない人が多い。あなた自身、質問したいけれど、「そもそも質問さえ言語化できない」という悩みがあるかもしれない。

言語化の方法について、ここで語っていると先に進まないため、そういう人にはお勧めの本があるので紹介しておく。

『「うまく言葉にできない」がなくなる言語化大全』（山口拓朗著、ダイヤモンド社）は、非常に再現性の高い内容で、チャットＧＰＴを使ったワークなども載っているのでぜひ読んでみて欲しい。

では、話を戻そう。

こちらの質問に対して、相手がなんとか答えてくれるものの、言語化がうまくできていないため、今一つ理解できない…そんなときは、相手の気持ちを汲みとり、少々まとまらない話だったとしても、それを理解することに努めたい。

慌てさせることなく、**相手のペースに合わせ、相槌を入れながら聞く。これを「ペーシング」という。**そして**ときどき相手の言った言葉を繰り返して【確認】してあげると良い。**

「私、言語化が苦手なんです」

と相手が言えば、

「**苦手なんですね？**」

そして、最後まで聞いたあとに、

「（言いたかったことは）こういうことですか？」

と、相手の代わりにうまく言語化し、まとめてあげて欲しい。そのまとめが見事に的中していたとき、相手は思わずこう言う。

「そうです！」

あるいは

「そうなんです！」

ここでもまた「そうです」「そうなんです」が出てきた。

それもそのはず。自分の言いたいことをなんとか伝えたいのにうまく言えないときのもどかしさは、聞く側も辛いが、話す側はもっと辛い。それなのに、一生懸命聞いてくれて、

〜 COLUMN 〜

理解力を高める音読のススメ

「音読」。これは、「朗読」と似ているようで違う。「立体朗読法」のように、小説の内容を細かくイメージしようと思うとハードルが高いが、「音読」は、新聞やビジネス書などを声に出して読むだけ。

音読しながら、自分の耳で内容を確認。すると、文章の意味内容が自分の声をとおして深く入ってきて理解できるようになる。ボイトレ・滑舌練習・読書・理解力アップのなんと！ 一石四鳥だ。黙読よりも時間はかかるが、こうして「音読」で理解力が高まると、人の話を聞くときの理解度も高まり早くなる。

理解できれば、相手の言いたいことを要約することができるようになり、場合によっては、もっとわかりやすい表現に言い換えることが可能だ。私はかれこれ30年、この音読練習をほぼ毎日続けていて、以前は新聞の一面を声に出して読んでいたが、2021年からその題材をビジネス書に変えた。今も続く著者をゲストに迎えて書籍を朗読する『耳ビジ★耳で読むビジネス書』の始まりである。

理解してもらえただけでなく、自分以上にうまく話をまとめてもらえるなんて。その喜びは、一瞬、いや、〝秒〟で相手への信頼に変わるだろう。

話すことが苦手な相手ほど、「質問」のあと、的確な【言語化】と【確認】をしてあげることによって安心する。

「自分はこのままでも良い。この人はわかってくれる」と思える状況を作ってあげられると、相手は重いヨロイを脱ぎ始め、身を委ねることができる。

これが初対面の相手に「この人なら」という信頼感を持ってもらえる過程である。

苦手な人への質問の方法

さて、ここで、40ページ❶の「相手に関心・興味を持つ」でも書いたが、**苦手な相手への質問はどのようにすれば良いのか**説明しよう。

ここで大事なのが**【妄想と仮定】**である。

私は苦手な人ほどワクワクしてくる。自分の妄想で、その人が「なぜこんなふうになってしまったのか？」を当てにいく。いわばゲーム感覚だ。だからこそ質問するときには、この【妄想と仮定】が欠かせない。

◎【妄想と仮定】を使って苦手な人に質問

「この人にはもっと奥深いところに本音の感情が隠されているはず！」
「見た目とは違う何かがあるかもしれない」
「仕事とプライベートでは違う顔を持っている気がする」

このように、今まで苦手だと思っていた**相手の表面的な情報だけがすべてだと思わずに、勝手に妄想し、「もしかしたらこうだったのでは？」と仮定しながら質問をしていく。**

この妄想は単なる「1人で心の中でやるゲーム」なので、当たらなくても構わない。

それよりも**【妄想と仮定】によって、相手に**

対して興味を持つことが大事だ。

理由はどうであれ、あなたが相手に興味を持っていることが伝わると、その相手の感情が動きだす。そして、質問をされるたびに心が動き、熱くなり…そして、「この人なら」少しヨロイを脱いでも良いかなと思い始める。

事実、私は苦手な相手、なんとなく「合わない」と感じている相手にも、まるで興味津々なふうでインタビューする。

私は音声ＳＮＳで、これまで２００冊を超えるビジネス書の著者にインタビューしてきた。なかには、初対面（初対話）のときに、かなり壁を感じるタイプの人もいる。

そういう人にリラックスしてもらえるよう、日々心がけている。

ギャップ探しインタビュー

ベストセラー『ゼロ秒思考』（ダイヤモンド社）で有名な赤羽雄二さんは、ロジカルな思考と豊富な経験に基づいて的確なコンサルタントをする方である。

ただ、赤羽さんの声だけを聞いていると、かなり冷たそうな雰囲気が漂っており、さすがの私もはじめてお話しするときには緊張感があった。正直、上から目線な雰囲気が苦手だった。赤羽さんごめんなさい。

とはいえ私は**どんなタイプの人であっても相手への興味が強い**ので、この日も「赤羽雄二さんという人はなぜこういう話し方なのだろう？　どんな思考を持っているのだろうか？」と話を聞くのが楽しみになっていた。

さて、このとき、まず私が【妄想・仮定】したのはこんなことだ。

「冷静そうな雰囲気だけどオロオロするときもありそう」

「実は笑い上戸だったりして」

インタビューが始まり、赤羽さんがマッキンゼーに転職する際のエピソードや『ゼロ秒思考』の出版の話題などについて質問しているうちに、予想どおりの展開があった。

そのときの私の質問はこれだ。

「理系ですし、マッキンゼーに転職した当初は辛かったのでは？」

あくまでも【仮定】の話としての質問である。すると、最初の1年間で、かなり必死に食らいついていく必要があったという話をしてくれた。

なんでもクールに飄々と生きてきたように見える赤羽さんの意外な一面だった。

さらに同じく【仮定】でこんな質問をした。


「『ゼロ秒思考』を真似た本も多く出たでしょう？」


このときである。いつも冷静な赤羽さんが吹きだした。笑い上戸とまではいかずとも、まったくもって意外な反応で私も驚いた。

なぜ、このとき笑ったかというと、私の質問に対して赤羽さんが思いだしたのが『ゼロ秒思考の麻雀』（竹書房）という本だった。ネーミングがそのまま使われていたので、私が「それはアウトなやつですね」と言った瞬間、「ぷっ」と吹きだしたのだった。

いかにも笑いを堪えていたのを我慢できずに吹きだした、という感じで、赤羽さんの、**この人間味を帯びた一面は、私が赤羽さんに対して抱いていた「冷たそうな」イメージとのギャップとなり、かえって好印象に変わっていくきっかけとなった。**

◎想像力はストレートとカーブの使い分けで

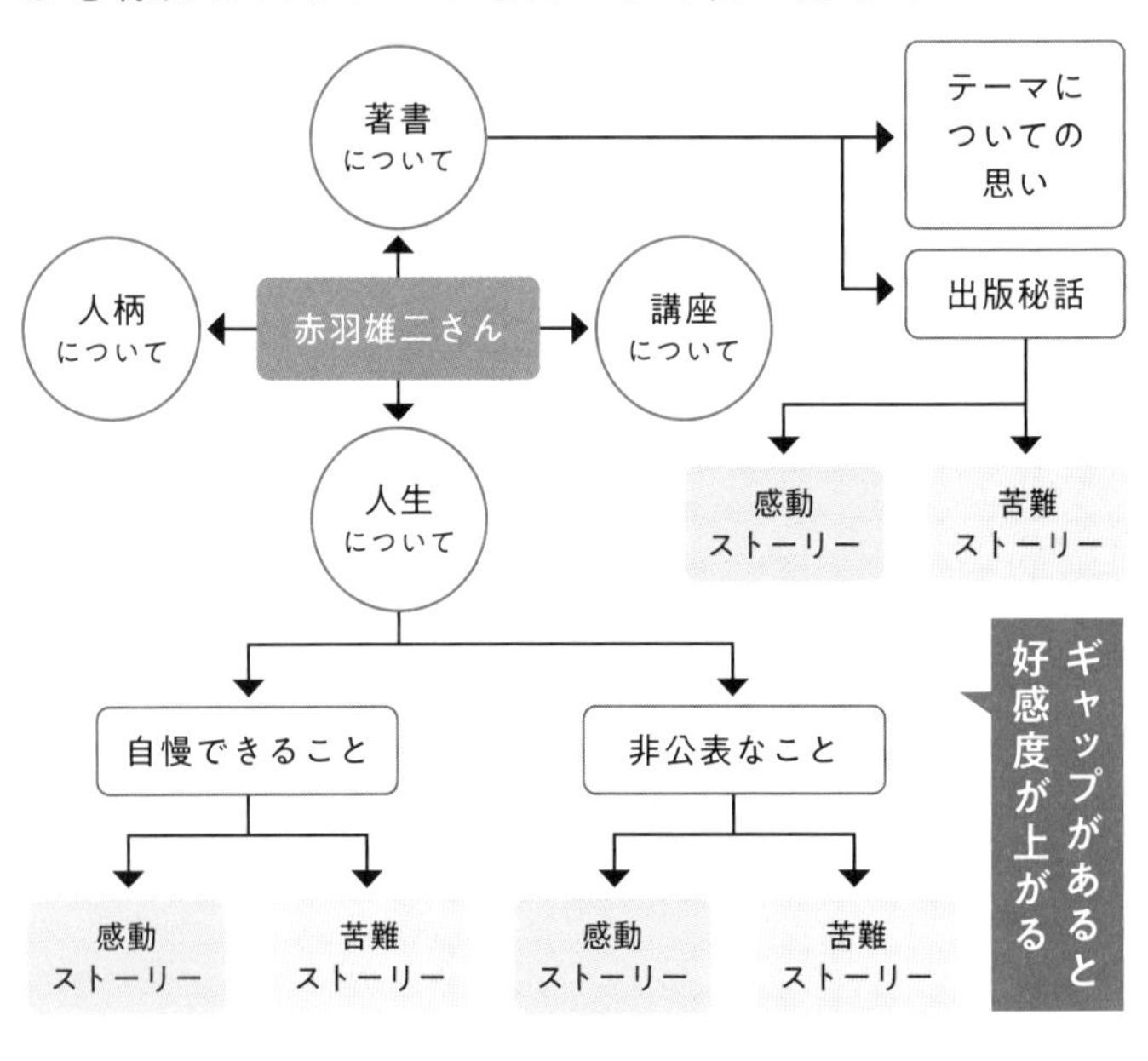

ちなみに、その麻雀攻略本は漫画にもなっており、人気があるようだ。赤羽さんの『ゼロ秒思考』のネーミングの素晴らしさが貢献しているのかもしれない。

赤羽さんのことを怖そうだと思っていたリスナーも、そのやりとりを聞いて、意外にもおちゃめな一面が赤羽さんにあることを知り、大いに喜んだ。

こんなことが何度か繰り返されるうち、次第に赤羽さんは、私に対して非常に好意的で親切な発言をしてくれるようになり口調も優しくなっていった。冗談も飛びだすようになり、2人で声をあげて笑うことも。さらに生意気にも私が赤羽さんの少し冷たい印象の話し方に対してアドバイスをするというシチュエーションまで生まれた。

こうしてすっかり仲良くなった私と赤羽さんは、その後、ライブ配信で、赤羽さんのためのボイストレーニングを行うまでになる。

私の指導に対して、赤羽さんは素直に従ってくれて、大きな声を出し、果ては2人で絵本の朗読までして、非常にレアな配信となった。

赤羽さんの今までのイメージを覆し、本来の気さくな人柄があらわになったことで、多くの人の心を揺さぶり、ファンがよりいっそう増えたと自負している。

このように、**【妄想と仮定】で相手に興味を持ち、質問していくうちに印象が変わることがある。**「苦手な人」「嫌いな人」ほど、「ギャップ」が見えたときに心が動き、こんな一面もあったのかと親近感を覚えたり驚きとともにリスペクトしたりすることに繋がる。

「質問」を通じて、相手との距離が縮まっていくだけでなく、安心してヨロイを脱いでもらえる関係になっていくのだ。

〝秒〟で関係性を築く相槌と「声」の秘密

聞き上手は相槌上手

「相槌（リアクション）」は人の話を聞くときの最重要ポイントと言っても過言ではない。そして、**相手の話をしっかり聞き、理解しているからこそ、的を射た「相槌」が打てる。**

相手の立場で考えても、誰かに話をするとき、聞く側からの相槌やリアクションがないと不安になるだろう。「理解してもらえているのか？」「この話は面白くないのか？」など、話し手は常に相手の様子が気になって仕方がない。

ちなみに、相手のことを無視してどんどん話してしまう自分勝手な人もいるが、こういう人はまったく「信頼」されないので注意して欲しい。この点については、後ほど説明する。

ここで相槌言葉の種類について見てみよう。

相槌言葉の代表が「はい」「ええ」「うん」の3つ。それ以外にも「そうですね」「なるほど」「ああ」「ほお」などもあるし、「それで？」「ということは」などの相槌というよりは「合いの手」のようなものもある。

これらの**相槌を駆使して「聞く」ことで、相手は「自分に興味を持ってくれている」と実感し、次第に饒舌（じょうぜつ）になっていく。**

では、どのような場面で、どの相槌を使うと、「信頼」に繋がっていくのだろうか。

相槌には多種多様な形があり、**相手とじっくり対話したいときに使う相槌や、ときに関係をスピーディーに深めるための「煽（あお）る」相槌**の方法もあり、この相槌一つで相手がヨロイを脱ぐか脱がないかの大きな差が生まれる。

ここで「相槌の種類」と「声のポイント」を取り入れた相槌の使い方を紹介しよう。

信頼される相槌①

相手の話に肯定的な共感を伝える相槌

「そのとおりですね」
「確かに」

相手の考えや体験に同意する共感の相槌をすれば、「この人はわかってくれる人だ」と思い相手は安心する。第1章の「質問力」の項目（48P参照）で書いた、相手が「そうです」「そうなんです」と答えるときに共感が高まるのと同じで、相手の話に対して、こちらが「そのとおりですね」「確かに」と同意してあげるのも価値観の共有になる。

あなたが相手の話をしっかり聞いた上で「賛同するならば」、ぜひこの相槌、リアクションで相手と同じ目線に立っていることを表現して欲しい。

ここであえて「賛同するならば」と書いたのには理由がある。

というのも、**何もかも相手に合わせて共感ばかりしていては逆に信頼されない**からだ。本当に賛同し、共感したときにだけ使いたい。

もしも意見が違うときには、「そのとおりですね」はふさわしくない。

「そうですね」と、ある程度の同意を見せた上で、「そういう考えもありますね」と付け加える。その上で、自分の意見を言うかどうかは検討してもらいたいが、**大切なのは合わせすぎないこと。共感してもいないのに「共感しているふり」をする人は信頼されない。**

ときには信念を持って自分の意見を言うことも必要である。

受け入れるのと受け止めるのは違う（詳しくは88Pで）。「そのとおりですね」「確かに」は、本当に共感しているときにはぜひ使ってもらいたい相槌である。

まとめ

「そのとおりですね」「確かに」

肯定的な共感を表現する（同じ目線で相手の意見に同意するとき）

〔声のポイント〕

- 高いトーン…相手の発言に対して、驚きとともに共感を得たことを表現できる
- 低いトーン…相手の発言に深く納得し、説得力を感じたことを表現できる

◆声のボリュームは同じでも、声の高さ・低さを変えるだけで共感の深さと納得の度合いの印象が変わる

信頼される相槌②

相手の話に価値を感じたときの相槌

「なるほど！」
「そうなんですね！」
「そういうことでしたか！」

相手の話に価値や説得力を感じたときの相槌は、相手の自尊心をくすぐり、満足感を与えられる。

初耳の話を聞いたときや、相手の知識に説得力を感じたときなどには大きく頷（うなず）くリアクションとともに「なるほど！」「そうなんですね！」「そういうことでしたか！」というふうに、「！」感嘆符をつけるような強めの相槌を入れてあげると良い。どの相槌にも言えることだが、無表情で棒読みのような相槌を打つことは信頼どころか、相手が話す気を失くしてしまう。感嘆の言葉である「わあ！」「へえ！」なども加えてあげると、相手は「もっと話してあげたい」という気持ちになってくる。

そして、いよいよ膝を突き合わせて話す体勢になるために、「ちょっと待ってて。ヨロイを脱いでくるから」という感じで、本気で向き合ってくれるのだ。

ただし、**「なるほど！」という言葉については使い方が難しく、なんでもかんでも「なるほどなるほど」と言って繰り返していると、「本当に価値を感じてるの？」と疑われるばかりか、高飛車に聞こえることもあるので要注意**である。

もし使うなら、ここぞという場面で大きく頷きながら「なるほど！！！」と、感嘆符を「！！！」くらいつけてあげると盛り上がる。

まとめ

「なるほど！」「そうなんですね！」「そういうことでしたか！」

価値・説得力を感じたときの感嘆の意を表現する

〔声のポイント〕
・高いトーン…相手の発言に対して、驚きとともに共感を得たことを表現できる
・低いトーン…相手の発言に深く納得し、説得力を感じていることを表現できる
◆①と同じく声の高低で変わり、驚きを特に強調したいときは高めのトーンで言うとより効果がある。

信頼される相槌③

相手の話に驚きを感じたときの相槌

「ええっ？」
「本当ですか！」

誰かの感情を揺さぶる発言ができたとき、人は達成感を覚える。

ときには「ええっ？」「本当ですか！」などと大袈裟に反応してあげると、相手は嬉しくなって、「この人なら！」とヨロイを脱ぎ始める。その感情は、「喜び」でも「怒り」でも同じで、相手の話に驚いてあげることは、少なからず「この話が相手の心に届いた」と感じさせることから達成感を持つ。

私は日頃からかなり「うっかり」している人で、私の「うっかりネタ」を披露すると、みんなが「ええっ？」と驚いてくれるばかりか喜んでくれる。本人にしたら情けない話なのではあるが、喜ばれるネタを提供できたときはなかなかの快感だ。私のうっかり話を聞いてもらえる機会があれば、ぜひ「ええっ？」「本当ですか！」を大袈裟に言ってもらえると嬉しい。

ここで、あなたの相槌のレベルをもう少しアップする方法をお伝えしたい。

本書のテーマである「信頼」を得るには「ええっ？」「本当ですか！」に続けてさらに相手の感情を揺らす相槌を加えたい。

「またまた、嘘でしょう？」

「信じられないですよ！」

このように「あえて」疑うような言葉を添えると、相手はムキになる。

最初は相手の言葉であなたの感情が揺さぶられ、「ええっ？」とリアクションしたのに対して、今度は、こちらの発言、「嘘でしょう？」という、「疑う言葉」によって相手の感情を揺さぶるわけだ。

「信じてもらえていない！」となると心がざわつく。感情を揺さぶられた相手は、なんとか本当の話だと信じてもらえるように必死に話し始める。

このようなやりとりを経た上で、先ほどの「ええっ？　本当ですか！」を使って、もう一度「驚きの相槌」を打ち、続けざまに「そういうことでしたか！」と添えることで、**相手は「伝わった」ことに満足し、「この人ならわかってくれる」と「信頼」し始める**のだ。

これぞ、信頼される相槌のなせる技である。

まとめ

「ええっ？」「本当ですか！」「またまた、嘘でしょう？」「信じられないですよ！」

感情を揺さぶり揺さぶられる体験の共有を目指す

〔声のポイント〕

・高いトーン…疑うような言葉でも明るさを含んだ調子にすることで親近感を醸しだす

・低いトーン…本気で疑っているように聞こえるため推奨しない

◆ただ、どちらのトーンでも「笑いながら」言うことで親近感が増し、楽しい会話になる

信頼される相槌④

相手の気持ちを盛り上げ煽るときの「合いの手」の相槌

「もしかして！」
「まさか！」

興味深い話をしているときに、このような「合いの手」を入れてあげると相手の気分が盛り上がってくる。

この**「もしかして！」「まさか！」という合いの手の手法は、テレビ番組でもよく使われている。**

「世界の衝撃映像」などを集めた番組では、一番のクライマックスシーンの前にＣＭを挟むことがあり、その際、直前のナレーションにこんなセリフが入る。

「このあと、まさかの事態が！」
「果たしてどうなるのか！」

「おいおい、良いところでＣＭ？」と苦笑した経験、あなたも一度や二度はあるだろう。この煽りを入れることによって、きちんとＣＭをまたいでも観てもらえるという手法だ。

このように**「次の展開を盛り上げる」ための「煽り」を会話の中でも取り入れることによって、話がより面白くなることがある。**

場が盛り上がると話し手はだんだん高揚し、血流が良くなるのだろう。熱くなってくるのか自然とヨロイを脱ぎ始める。そして「続き、気になるでしょう？　それがね」と意気揚々と話しだす。

これを**煽る「合いの手」の相槌と言う。ほかにも「それでそれで？」「うんうん」などの繰り返し言葉もあり、前のめりの雰囲気を出す効果がある。**繰り返し言葉で「拍子」をとってあげると、会話にリズムが生まれ相手は話しやすくなる。

次第に相手は「この人と話しているとなんだか気持ちいいな」という感情が湧いてくる。話しやすさを感じると、人は安心し、「信頼感」を抱くようになるものだ。

まとめ

「もしかして！」「まさか！」

　話を盛り上げ面白くさせる

〔声のポイント〕
・高いトーンで素早く……この話題にドキドキしている雰囲気を出せる。面白い話に有効
・低いトーンでゆっくり…この話題にハラハラしている気持ちが表現できる。怖い話、深刻な話に有効

◆「それでそれで？」「うんうん」などの繰り返し言葉は、早口であればあるほど効果的

信頼される相槌⑤

心に寄り添う愛槌

「お辛かったのですね」
「それは嬉しいですね！」

相手の話に寄り添い、感情を共有してあげる相槌。私はこれを「**愛槌**」と言っている。

心理学でもよく使われる手法の「オウム返し」も「愛槌」であり、相手の口から出た感情をそのまま繰り返す。

「辛かった」と聴けば、「お辛かったのですね」
「苦しかった」と聴けば、「苦しかったのですね」

必ずしも本人の口から「辛い」「苦しい」と出てこない場合でも、想像でわかる辛さや苦しみはある。ここで大事なのは「愛」を持って相手の話を「聴く」こと。あえてこの字を使いたい。まずは「聴く」のである。

その際、「ペーシング」という方法で、相手のテンポや間(ま)を真似てあげることも必要だ。相手が苦しく辛い話をゆっくりしたペースで話しているのに、その際の相槌が「はいはい」「うんうん」などと早口だと、相手は自分のことを軽く見られていると感じてしまう。

相手のペースに合わせながら「はい」「ええ」と相槌を入れていきたい。

こうして愛を持って丁寧に聴いていれば、自然と**想像力が高まり**、相手の心の動きを敏感に感じとることができる。

そして、**相手がふと黙った瞬間に「辛かったでしょう？」「苦しかったでしょう？」という愛槌を入れてあげよう。**

ときには自分の想像と相手の現実が違うこともあるが、気遣って心配してくれた相手に悪い感情はほぼ持たない。また、もしも想像どおりであれば、「自分の気持ちを察してもらえた」と感じ、深く感謝してくれて、それが信頼感に繋がっていく。

心の重荷とともに、相手はヨロイを脱ぐことになるだろう。

また、相手が怒りを抱いているときの愛槌も同じである。**なるべく相手と同じ感情レベ**

ルに合わせて「オウム返し」してあげると、落ち着きを取り戻したり、安心したりする。

「腹が立った」と聴けば、「腹が立ったんですね」または「腹が立ったでしょう？」

また、ときには「それは腹が立ちますよね！」などと怒りに同調してあげても良い。

「悔しい」や「情けない」なども、同様の愛槌を入れることで相手の気持ちが和らぎ、「自分を受け入れてもらえた」と実感する。

今、「苦しみ」や「怒り」「悔しさ」など、「ネガティブな感情の場合」を例に出したが、「喜び」「嬉しさ」などのポジティブな感情に寄り添う「愛槌」もある。

「それは嬉しいですね！」

「最高じゃないですか！」

「良かったですね！」

大いに一緒に喜んであげるリアクションをすれば、相手も嬉しさが倍増し、「この人なら」と信頼してくれるだろう。喜怒哀楽のどの表情であっても、相手の気持ちに寄り添い、まずは「聴」くことで、いつしか愛のある信頼関係が築かれていく。

まとめ

「お辛かったのですね」「それは嬉しいですね！」
愛のある「オウム返し」で感情を共有する

〔声のポイント〕
- 辛い気持ちに寄り添う……少し間を置いてから、低めのトーンでゆっくり
- 怒りの気持ちに寄り添う…間（ま）をあけずに、高めのトーンでやや早口
- 嬉しい気持ちに寄り添う…高めのトーンで抑揚の高低差を大きくつける

信頼される相槌⑥

「はい」と「ああ」だけで勝負する「声の四段活用」

最後に、私の裏技、「声のトーン」に変化をつけるだけで信頼感が高まる相槌の方法をあなたに紹介したい。

二次元コードを読みとって言い方を真似してみよう。

《「はい」「ああ」の言い方》

A　短くハキハキと高めの声で……明るい印象を与える
B　短くハキハキと低めの声で……知的な印象を与える
C　高めの声で長く伸ばして………新しいことを知った喜びを表す
D　低めの声で長く伸ばして………さも納得したかのような共感を表す

特に信頼感を得やすい声の出し方は後ろの2つのCとDで、「はい…」「ああ…」と粘りながら伸ばして頷く（うなずく）という方法である。

単なる「はい」ではなく、ため息まじりに「はい」と言う。高めの声でも低めの声でも共通して、いかにも腹落ちしているような印象となる。

高めの声だと何かを発見したときの喜びをあらわにでき、低めの声だといかにも良いことを聞いて納得しているように聞こえる。

「ああ」の使い方も同じで、共感したときや、何かに気づきがあったときには長く（約3秒）引っ張って「ああ〜〜〜」と言うのも良い。

このように、**話の内容によって声のトーンを使い分けるとより信頼感が増す。**

話し方において「語尾を伸ばす」ことは幼稚に聞こえNGとされているが、相槌においては、このように伸ばしながら何度も頷くなどのリアクションを入れることにより、相手は「自分の話を深く理解してもらえた」「共感を得られた」という気持ちになる。

それは「わかってくれる人がここにいる」と安心するとともに、「この人には本音を言える」、ひいては「信頼できる人」となる。

日常的によく使っている**相槌の声の「トーン」と「長さ」を変えるだけで、**まさに〝秒〟で「信頼」される人になれる。そして相手との心の距離が一気に縮まり、もっとこの人に話を聞いてもらいたいと思い始めるだろう。

簡単なので、ぜひ早速試してもらいたい。

また**的確な質問と相槌をもらいながら話をしていくと、もう一つ良いことが起こる。その人自身が自分自身に気づきを得ることがある**からだ。

すると、相手は、自分と向き合う良い機会を与えてくれたあなたに感謝の気持ちを持ってくれる。

こうして、これまた「信頼関係」が築かれ、本音の付き合いが始まる。

人と人との対話というのは、いつでもその人に寄り添うことが大切であり、結果的にそこに愛がないと、心と心が結ばれるコミュニケーションには至らないと私は思う。

受け止める覚悟が信頼に繋がる

話は最後まで聞く

「話は最後まで聞きなさい」

誰でも1回は先生に叱られたことがあるのではないだろうか。私はしょっちゅうあった。正直、全部聞かないでもだいたいのことは予測できるのだから、最後まで聞かなくても良いのではないか？　高校生くらいになると、小生意気な私はそんなふうに思ったものだ。

ただ、ここでいう「最後まで」は少し意味が違う。**人の話を聞くとき、その人の思いや、ときに人生そのものをすべて受け止める覚悟が欲しいという意味だ。**かなり大袈裟かもしれないが、「信頼」を得たいならばそれくらいの覚悟を持って話を聞く必要がある。

私はよく個人セッションをしている。ボイストレーニングや、話し方や朗読の指導、声を使った強み探しなど、「声」にまつわるあらゆることを一手に引き受けて、生徒さんの背中を押すセッションだ。

1回目のセッションでは、まず相手の希望を聞くことに力を注ぐのだが、その際、これまでのその人の人生に話が及ぶことが多い。

実をいうと、私がその話に持っていっている。というのも、「はじめに」でも書いた生徒さんのように、**「声」や「話し方」に悩みを持っている人の多くが、何かしら過去の影響を受けており、自信を失っている**からだ。もちろん何もなさそうな人は、早速ワークを始めるなどすぐに未来の話に向かう。

「子どもの学校で読み聞かせのボランティアをすることになったので教えて欲しい」

ある女性が私の個人セッションに申し込んできた。ＳＮＳで私のことを知ったとのことである。はじめて対面したとき、私が最初に思ったのは、

「え？　読み聞かせ？　マジでするの？」

である。細くて小さくて、姿勢が悪く、マスクもしているので声が全然聞こえない。とにかくオドオドしていて、とても子どもたちの前で読み聞かせできるキャラとは思えなかったのだ。本書の「はじめに」で声には「人柄」が出ると書いたが、彼女の場合、「人柄」を隠そうとしているように感じられた。

せっかく読み聞かせの指導を受けにきたのだから、と、彼女の期待に応えようとボイス

トレーニングも行ったが、一番時間を割いたのは「彼女の話を聴くこと」だった。彼女の人柄を引きだすためだ。

私が注目したのは、「なぜ、こんなに自信がなさそうな雰囲気なのか」ということ。夫と子ども3人の5人家族。仕事もしているとのことで、きっと日々大忙しに違いない。でも、こうして自分の学びの時間を確保する行動力がある。芯の強さを感じる一方で、伏し目がち。消え入るような声。このアンバランスさの理由はどこにあるのか。

「家の事情でなかなか…」。何度となく曖昧（あいまい）な表現が出てきた。

そのときには、もう**私は彼女の背景がほぼ見えていて「抑圧」というキーワードが浮かんできた。何かしらに「抑圧」されているせいで「声を出す」ことに制限がかかっている。**「言いたいこと」を言えない。抑圧しているのは概ね夫か、親になるだろう。

いつ、どのタイミングで話しだすかはわからないが、私は彼女の話をすべて受け止め、「最後まで聴く」覚悟を持った。

適当にボイトレして、読み聞かせのコツを教えて終わりにすることもできたかもしれないが、おこがましいけれど、救ってあげたいと思ってしまった。

今、このように、彼女のことを事例として書いているということは、彼女が生まれ変わったからにほかならない。私に叱咤激励されながら、声を一生懸命出した。そして、子どもたちのための読み聞かせをやり遂げ、さらには自分でイベントを立ち上げ、抑圧されていた（原因は夫であり親でもあったことが後にわかった）ところから脱却し始めた。彼女はようやく「自分の声」を聴くことができたのだ。

私は彼女のことを見守っている。信じている。そして彼女は私のことを「信頼」していると思う。**人と向き合うとき最後まで話を聴き、受け止める覚悟を持った瞬間から、相手との信頼関係は結ばれている**と感じている。

受け止める覚悟とは

「最後まで話を聞き、受け止める」という姿勢は職場でも、接客の場でも、家庭でも、仲間うちでもとても大切である。ここで勘違いして欲しくないのは、**「受け入れる」のではなく「受け止める」**ということだ。

「受け入れる」。これは相手の考えや主張に対して同意し、納得すること。

「受け止める」。こちらはというと、あくまでも「一つの考え」「主張」として聞く、ということだ。仕事上の人間関係においては「聴く」ではなく「聞く」で良い。

信頼関係を築くとき、相手と必ずしも「同意」していなければならないかといえばそんなことはない。それよりも「違うときは違う」とお互いに言い合える関係こそ「信頼」の上に成り立っている。


ただ、意見が違うからといって聞く耳を持たないのはいけない。一旦聞いた上で、理解できないときは納得がいくまで質問をし、説明を求める。そして、質問して話を聞きだしたからには、どのような意見や答えが返ってこようとも、まずは受け止める。当たり前のことなのにできない人が非常に多い。

あなたの周りにも**「受け止める」覚悟もないのに意見を求めてくる人がいないだろうか？**

そういう人は最初から「同意してもらいたい」という意図で意見を聞きにきている。だから、自分と違う意見が出てきた瞬間、「でもね」と理論武装をはじめ、相手の話を聞くどころか、「自分の考えこそが正しい」と自分の主張ばかりを押し付けてくる。

相手に「関心」も持たず、「質問」もなく、「相槌」も「リアクション」なども到底なく、この時点で、器の小さい「信頼感」ゼロの人認定となってしまう。

人の話を「聞く」行為は、たとえ違う意見だとしても「最後まで聞き、受け止める」覚悟を持って聞かないといけないのである。もちろん、あなたが、もし「信頼」されたいならば、という前提であるが。

信頼を深めるひと言「○○は…」

では、いつも相手と、みんなと「同じ考え」であれば万事うまくいくのだろうか？　先ほども述べたが、「同じ考えの人だから信頼できる」わけではない。それはあくまでも「価値観が同じ」なだけであり、「信頼」とは別のものだ。**「違うときは違う」とお互いに本音を言い合える関係こそが「信頼」に繋がる。**

どのようにしたら反対意見を言えて、かつ「信頼関係」にまで発展させられるかを考えてみる。

仕事上の関係、上司が部下の意見を聞く場面。

「君はプロジェクトのやり方についてどう思う？」

例えば現在進行形のプロジェクトの進め方について上司が部下に聞いたとき。

「私は今のやり方では効率的ではないと思います」

と部下が答えたとする。

上司自身は「このやり方で良い」と思っていたので、反対意見を言われたため、不機嫌になってしまった。そこで、

「まだまだわかっていないな、君は」

などと賛同しない部下に対して否定的な態度をとって、肝心の「なぜ？　どこが？　効率的ではないのか」、という点について尋(たず)ねようとしない。

部下はこう思う。

「聞く気がないなら聞かなきゃいいのに」

「これからはこの上司には自分の意見を言うのはやめよう」

「信頼関係ゼロ」の上司と部下の出来上がりである。

では、このように、部下が意見に同意しない場合、どのように対応すれば良いのだろうか。

とにかく話はまず聞く。最後まで聞いて一旦「君の意見はそうなんだね。ありがとう」と受け止める。ここから自分の意見を言うターンとなる。ただし、それは相手の意見を打ちまかそうというのではなく、自分の意見を述べるだけだ。

「君の意見はよくわかった。ただ、実はね…私は少し違う見方をしているんだよ。効率を上げることとは大事だと思う。しかしプロジェクトはチームで動かすほうが、後々強固になるからね。時間のかかるメンバーもいるが、長い目で見てもらえないだろうか。ここぞというときにアクセルを踏むから、そのときはぜひ、君の力を借りたい」

こんなふうに上司に言われたら「この人の言うことは信頼できそうだ。よし、それまで準備を整えておこう！」と思うだろう。

さて、今の事例の中で、反対意見を言ったにもかかわらず、「信頼」されやすい言葉を盛り込んだことに気づいただろうか？

「実は…」

この言葉は「今から本音を言いますよ」というときに使う言葉である。部下に対して「実はね」と切りだして、自分の意見を言うことによって、「本音を話してくれようとしている」というアピールになる。この出だしだと、単に自分の意見を主張するのとは違い、対等な立場で物事を見ているように感じられないだろうか。

この**「実は…」という言葉は、打ち明け話をするときに有効で、これをきっかけにぐんと相手との距離が近づく。**

反対意見を述べるとき「でも」を使うよりも、「実は〜〜こう思っている」という形で意見を伝えると、「本音で受け止めてくれた」と思い、「この人についていこう！」と「信頼関係」が深まっていく。

声と顔の「表情」で聞く技術

声と顔の表情の関係

「相槌」とも関係が深い「表情」。

人の話を聞くことで「信頼」を得るためには、表情をしっかり出さないと通じ合えない。たとえ「最後まで聞く」ことができたとしても、聞いているときに相槌を打ち、リアクションをしてあげないと話し手は不安になる。さらに、そのときの顔の表情、ジェスチャー、そして声の表情が的はずれだと、話す側は気持ちが削がれてしまう。

今、あなたは「顔の表情」はわかるが「声の表情」って何？と思ったかもしれない。**顔の表情と声の表情は連動する。**ここでお伝えしたいのは、電話などで人の話を聞くときに効果的な「声の表情」についてである。

「声」の良し悪しについてはすでに解説したが、この**声から滲み出てくる「人柄」は、「綺麗な声」かどうかは関係なく、いかに声に「表情」があるかどうかがポイント**となる。また、「信頼」されるためには「本音」で話し合える関係性を作ることが大事だと述べた。だからこそ、「声」からも「本音」を感じてもらう必要がある。

「本音」にはその人の「本心」＝「感情」が入る。そして「感情」とは「喜怒哀楽」のことである。**本当の心の動き「感情」が乗った声が出ているとき、人は「この人は本気だな」と思う。**

「感情」には人の「エネルギー」が注入される。しかし、「声」に感情やエネルギーが乗っていないとどう感じるか？　体温のない声、要するに「冷たい」印象になる。いかにも冷たそうな声の人を信頼できるだろうか。その場その場に応じて素直に「感情」を乗せてはじめて人の心に届く声となる。

「冷たい」印象を与える「声」の人は、顔もまた無表情である。これはほぼ間違いなく一致する。たとえ口元は笑っていても「目」が笑っていなければ、声に表情は現れない。逆にいうと、「目」にきちんと表情があれば、「声」にも表情が乗ってくる。

表情は笑顔があればいいというわけではない。人の話を聞いているときの表情は、「笑う」こともあるし、ときに相手の気持ちを汲んで「悲しい表情」にもなる。一緒に「怒り」をあらわにすることもある。

感情を「ある程度」表現できる人は「人間らしさ」を感じさせるため、「本音」で付き合える「信頼感」のある人だという印象を与える。

先ほど、「感情をある程度表現できる」と言った。「ある程度」である。気を付けてもらいたいのは、感情をあらわに「しすぎる」こと。度がすぎると単なる「感情的」な人となり、心をコントロールできない人だと思われる。**感情を顔にも声にも過剰に乗せてしまわないように注意したい。**

声に感情を乗せるワーク

では、声に感情を乗せるワークをいくつかご紹介する。鏡で自分の顔とジェスチャーをチェックしながらやってみよう。特に確認したいのは「目」の表情。そして、自分の耳で、自分の声を聞いて欲しい。

▼一緒に〝喜ぶ〟声と表情とジェスチャー

- □ 声………「ゎあ〜〜〜〜」。高めのトーンで、1音目の「わ」よりも、2音目の「あ」を高くし、しっかり伸ばす
- □ 目………三日月のように笑う
- □ 口………大きく開ける
- □ ジェスチャー…上半身を大きくのけぞる

▼一緒に〝悲しむ〟声と表情とジェスチャー

□声……………「あぁ……」。低いトーンで、ボリュームを抑え、息を多めに出して、やや伸ばしながら「…」という余韻を作る
□目……………眉間を寄せるようにしながら深刻な表情をする
□口……………小さい口で声を出し、口を閉じる
□ジェスチャー…声を出しながら、小さくゆっくりと頷(うなず)く

▼一緒に〝怒る〟声と表情とジェスチャー

□声……………「ええ！！！」。低いトーンでボリュームを大きく、2回目の「え」を特に大きな声で言い、やや伸ばす
□目……………眉根を寄せて目を見張る
□口……………唇に力を入れて「え」の口にするが口角は上げない
□ジェスチャー…首を傾けながら顎を突きだすように

▼一緒に〝驚く〟声と表情とジェスチャー

□声……………「ええ〜〜〜〜！」。高いトーンでボリュームを大きく出し、しっかり伸ばすことで、より驚き感が出る

□目……………大きく見開きキープ

□口……………口角を上げ、なるべく大きな口にする

□ジェスチャー…身を乗りだす

これら**顔の表情やジェスチャーによって「声」に感情を乗せることは、対面しているときはもちろん、リモートのときや、電話など「声」だけのときにも有効だ。**相手が見えていないからといって無表情になってしまうと、すぐに「声」も無表情になるので本音で話していないことが相手にバレてしまう。

一方、**感情がしっかり乗った声はエネルギーや体温を感じ、声だけでも相手に伝わる**ものだ。相手を思いやったり共感を示したりと、声の表情で、ぜひ「信頼」を勝ち取って欲

しい。

第1章の「聞き方」はかなりボリュームたっぷりとなったが、それほど「信頼される人」にとって大切なことだ。相手に関心を持ち、丁寧に相槌を入れながら話を聞くだけでも信頼感はかなり高まる。

私が主催している「モデレーター育成講座」の受講生たちがよく言っているのが、「自分が人の話をいかに聞いていていないかがわかった」ということ。

聞いてる「つもり」では相手の心の扉は開かない。ましてや「心のヨロイ」を下ろしてはくれない。

相手が「心のヨロイ」を自然と脱ぎ、語りだす「信頼」される聞き方をマスターしたら、次は「声」の使い方を極めていこう。「声」の力はあなたの想像以上にすごいパワーを持っている。

◎声に感情を乗せるワーク

第1章 Point

- 相手に関心・興味を持つ。苦手な相手でも【妄想と仮定】によって興味を持つことが大事
- 質問は的確に良いタイミングでできると「信頼」に直結する
- 相槌（リアクション）は人の話を聞くときの最重要ポイント
  「信頼される相槌6つ」
  ❶肯定的な共感を伝える相槌　❷価値・説得力を感じたときの相槌
  ❸驚きを感じたときの相槌　❹気持ちを盛り上げ煽（あお）る「合いの手」
  ❺心に寄り添う相槌　❻「はい」と「ああ」だけで勝負する「声の四段活用」
- 受け止める覚悟が信頼に繋がる。人と向き合うときは最後まで話を聞く
- 顔の表情やジェスチャーによって「声」に感情を乗せることは、対面時はもちろん、リモート・電話など「声」だけのときも有効

第2章

この人なら！と安心できる「声の魔法」

声の印象でアピールする

私はフリーアナウンサー・ナレーターとして数々の「声の仕事」を経験してきた。よほど見た目が美しいならまだしも、私レベルの見た目ではパッとしない。だからこそ、自分で武器になるのはどこか？　と考えたとき「声」を使ったアプローチで、他人より抜きん出る必要があった。

自分の声が良いか悪いかなど、自分ではわからない。しかし、**声について学び、研究し、実践していく上で、声は鍛えられ、磨かれさえすれば進化できると気づいた。**

私がＳＮＳを使って約２０００人にアンケートをとったところ、自分の声を「嫌い」だという人が全体の約７割にものぼった。私はそういう人のために、「自分でできるボイストレーニング」というメソッドを提供しているが、これによって「声が以前と変わった」という人を多く輩出している。

例えば、50代のある女性は、かつて母親から「声が変だ」と指摘されたことがあり、それから自分の声が嫌いになってしまったという。ところが、私のボイストレーニングを1回受けただけで、今まで聴いたことのない自分の声に出会い、「声を出すのが楽しい」とまで言った。彼女の場合、**声を頭蓋骨だけで共鳴させていたのを、体全体で共鳴させるように指導したことで（202P参照）、「よく響くパワフルな声」と出会うことになった。**

顔は自分では変えられない。身長も自分ではどうすることもできない。

しかし、筋トレやスポーツなどで体形を理想に近づけられるのと同じように、声も自分で鍛えられる。さらに言うと、話し方はもっと簡単に変えられる。

声を使ってコミュニケーションをとるとき、この**「声」と「話し方」だけでも充分、好印象を与え、相手の心を掴むことができる。**だとしたら、美容整形頼みで見た目を変えるより、手っとり早く自分で変えられることに着手してみたらどうだろう。

「はじめまして。〇〇です」。このたったひと言で、「感じの良い人」なのかどうかを判断される。

一般的に、第一印象は「見た目で判断」されることが一番多く、次に多いのが「声」。

「会話の内容」についてはあまり重要視されない傾向にある。

しかし、先ほど述べたとおり、ごく普通の見た目を好印象にアピールするのはハードルが高い。それよりも、**「声」と「話し方」を磨いて、好印象を残すほうが効率が良い**と言える。

しかも、**少し会話しただけで、相手と〝秒〟で信頼関係を築くことができ、相手がついつい本音を語りだしてしまう「声」**になれたなら、どんなにコミュニケーションが楽になるだろう。

自分の声を把握する

では、自分が「信頼」される声かどうか？　を考えてみよう。

ここであなたに問いたい。

あなたは自分の声を聴いたことがあるか？

録音したものを聴いたとか、ビデオの中に自分の声がたまたま収録されていたのを聴いたなど、多くの人が、自分の声を何かしらの形で聴いたことがあるはず。その自分の声を聴いてどう思ったか。

「思っていたより低い」とか「もっと良い声だと思っていたのに違った」など、愕然としたかもしれない。なぜ、自分が思っていた声と、録音された声が違うのだろうか。

ここで聴覚の仕組みについて簡単に説明しておこう。次ページの図も参照しながら読んで欲しい。

私たち人間が主に聴いているのは❶「**骨導音**（こつどうおん）（**骨伝導**）」といって、体の内側をとおして伝達される声である。一方、他人が聴いている声は❷「**気導音**（きどうおん）（**耳で聞く**）」、要するに外をとおって耳から聴覚に届けられる。

声の通り道が違うため、聴こえ方が変わってくるのであるが、ここでポイントとなるのが、**多くの人が「自分の声を自分の耳では聴いていない」**ということ。

◎自分の声には2つの聞こえ方がある

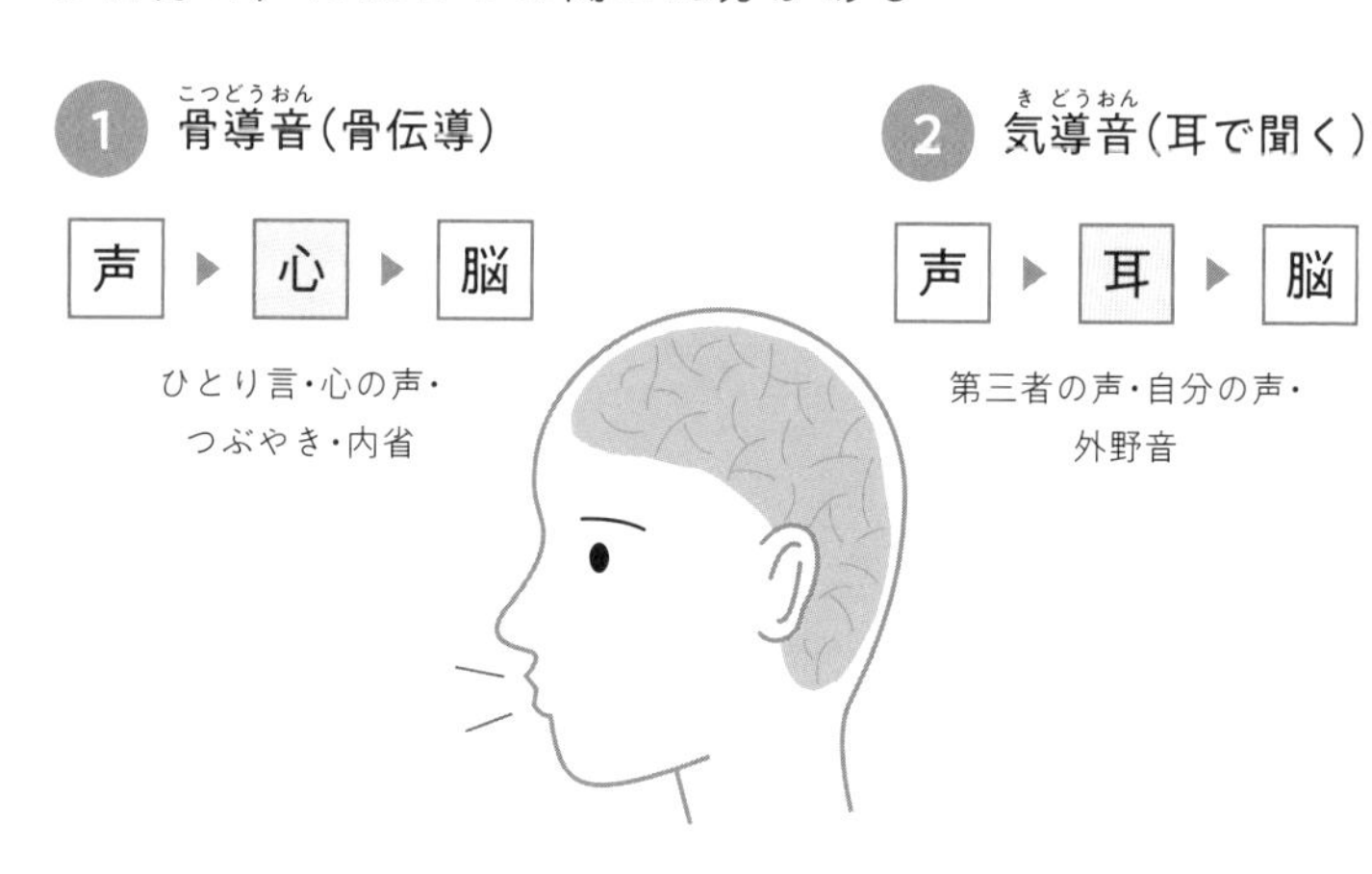

「どういうこと？」と思ったあなた、もう少し私の話を聴いて欲しい。

幼い頃から私たちがしつけられたのは、「人の話はよく聞きなさい」だった。

一方**「自分の声を自分の耳でよく聴きなさい」などとは誰も教えてもらっていないはずだ。**

意識したことがないからわからないだけで、よく注意して聴けば、「骨導音」だけでなく「気導音」としても自分の声を自分の耳で聴いていることがわかるだろう。

私のようなアナウンサー業の人間は、自分の声を客観的に聴く訓練をする。マイクをとおして聴こえる声をヘッドフォンで確認しながら、自分の声の調子を整えたり、変化させたりして、聴衆にとってどう発すれば一番聴きやすく、伝わりやすいか、を研究する。

このように長年訓練・研究することも大事であるが、**意識するだけでもまったく違うので、まずは自分の声を自分の耳で聴いてみよう。**

聴こえ方の比較

①耳を手のひらでふさぎ、「こんにちは」と声を出してみる。聴こえた声は「骨導音」によるものだ。

②耳をふさがずに、「こんにちは」と言ってみる。耳から聴こえる声を捉えてみよう。このとき、小さな声では自分の耳に届かない。耳から聴こえるためにはどれくらい大きな声を出さなければいけないか、確認して欲しい。

声のボリューム

ここで考えて欲しいのは、自分の耳でさえ聴こえないボリュームの声が、向かい合っている相手の耳に果たして届くだろうかということである。**相手の心を掴み「信頼」される**

ためには、まず最低レベルの「声」のボリュームが必要だ。

自分の耳で聴こえるボリュームは、ほぼ1メートル離れた所にいる相手にも聴こえる。

そこで、このときの声のボリュームを「基準値・1のボリューム」とする。

自分の声を「1のボリューム」で出し、いつも自分の耳で確認する習慣をつけると、自分の声を客観的に確認することになり、発言内容に自信を持つことができる。この「発言内容に自信を持てる」という点については116ページで詳しく説明する。

自分の声の印象

自分の声を自分の耳で聴いてみたところで、声の印象について改めてどう感じただろう。

「良い声だ」と思った人はおめでとう。「気に入らない」と思った人、または問題を発見した人は、次のどれかに当てはまると思う。

《問題があると感じる声》

①声が小さい

②ざらざらしている
③こもっている
④うわずっている
⑤高すぎるまたは低すぎる

概ねこのあたりの印象だろう。

さて、このような印象の声の人に「信頼感」を覚えるだろうか。残念ながら違う。ということは、この①〜⑤と真逆の声であれば「信頼感」がある声だと言える。

《理想的な信頼感のある声》

❶声が大きい
❷透明感がある
❸とおっている
❹安定している
❺ほど良い高さである

◎響く声のためには余計な負荷をかけない

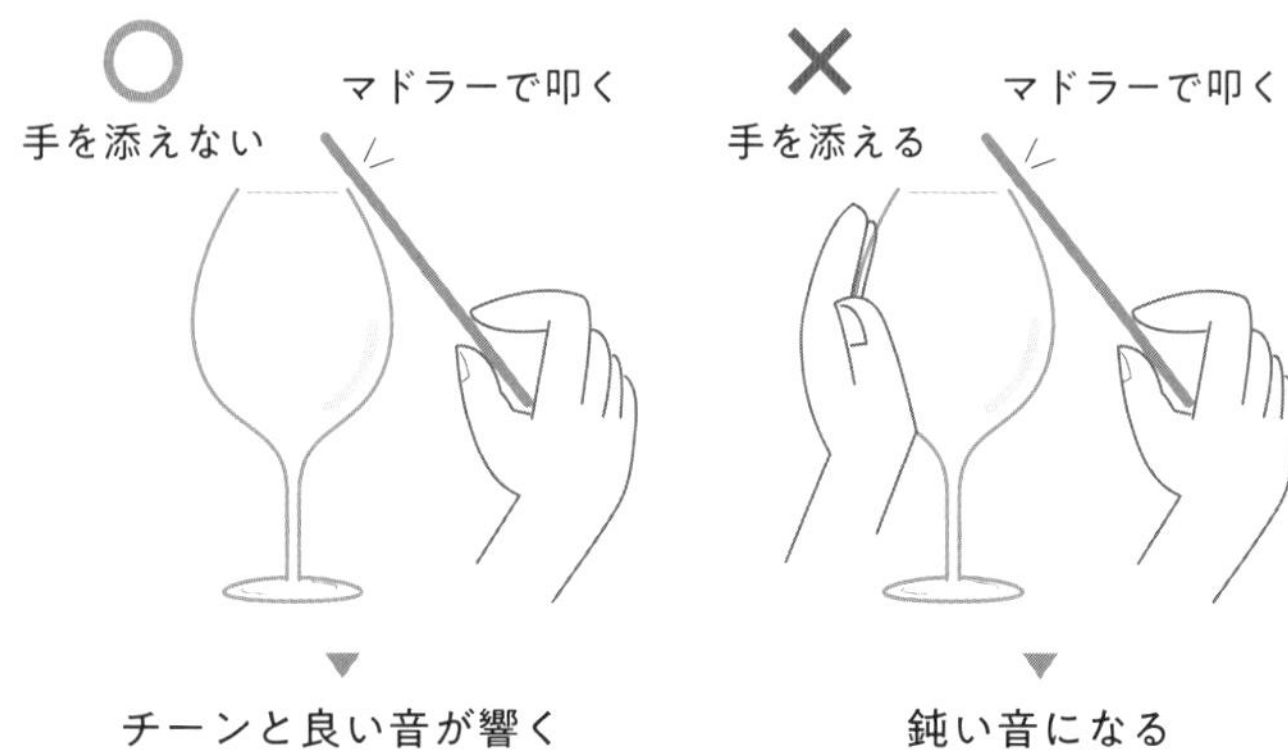

声は鍛えられるし、変えられる。少しでも印象が良く、しかも「信頼感」のある声になりたければボイストレーニングによって変えられるが、本書ではそこまで必要としない。

まず問題があると感じる声の①〜⑤までに共通して言えるのは、**声を出すときに力んでしまっている可能性が高い**こと。そして、力んでいる場所の多くが「首、肩」で、さらに「胸・背中・腕」と続き、簡単にいうと上半身に無駄な力が入ることによって、せっかくの「人間の身体」という楽器が共鳴しなくなっている。

空っぽのワイングラスがある。マドラーでグラスの縁を叩くと「チーン」と良い音が響く。しかし、そのグラスのボウルの部分に手を添えた状態で同じように叩いたら、どんな音になるだろうか。鈍くこもった音になるのは容易に想像できる。

このときの「手を添えた」状態こそ、体に無駄な力が入っているのと同じことで、首や肩に「力み」という重い荷物を持ち、負荷をかけながら声を出していることになる。だから、よくとおる響く声にはならない。

いかに、いつもリラックスして身体を緩めて声を発し、共鳴させることができるかが大事で、これさえクリアすれば、声に響きと艶が出て、自分の耳で聴いても心地良く感じられるようになる。

声と話し方の関係性

「声」を語るとき、ついて回るのが「声のトーン」である。

「声」は「音」である。聴こえてくる音域によって、感情の揺さぶられ方が変わる。

例えば「**高音**」は明るく楽しい気分になりやすく、「**低音**」は暗く悲しい気分になりやすい。一方で、「**低音**」には心を落ち着かせる効果があり、「**中低音**」には人の心に寄り添う効果がある。

また、もう一つ大きな声の特徴となるのが「声のボリューム」。声が「大きい」と力強さや自信を感じる。「小さい」と弱々しさや自信のなさを感じる。では、声が大きければ良いのかというとそうではない。

ここで、**「声」と密接に関わってくるのが「話し方」**である。「話し方」にも人それぞれ特徴があり、特に話し方のテンポ「早い・遅い」は重要である。

そして、**「トーン」と「ボリューム」という声の2つの特徴と話し方の「テンポ」は、組み合わせがどうなるかによって、相手に与える印象が大きく変わる。**

左ページの図を参考に、これらの組み合わせによって、印象がどう変わってくるかを見てみよう。

◎声の高低と大小及び話し方のテンポで生じる印象

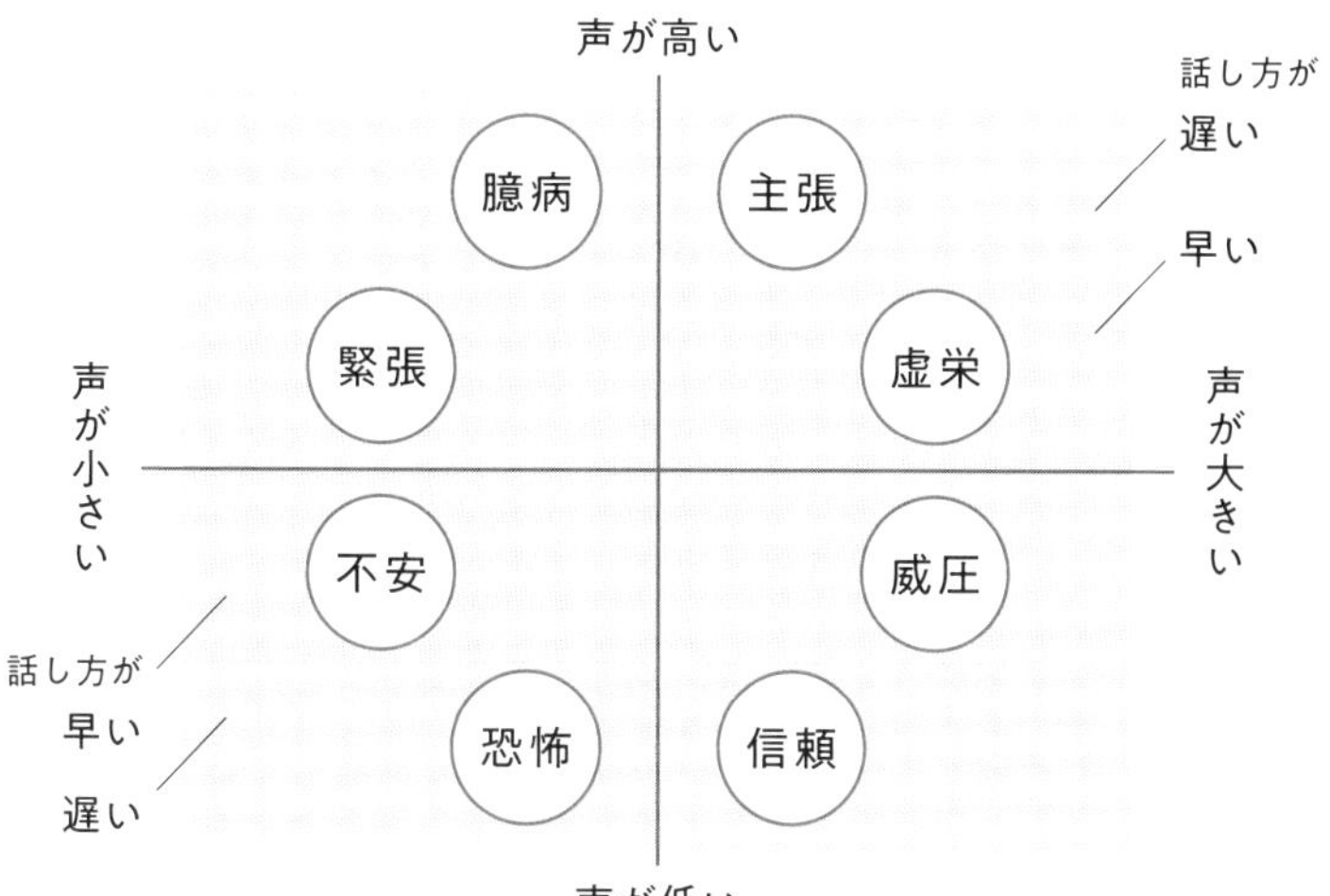

例えば、声が小さくて高い人は声が「うわずった」印象で、いかにも自信がなさそうな雰囲気になり、低くて小さい声もまた、不安や恐怖を感じているかのような雰囲気になってしまう。小さい声というのは基本的にあまり良い印象にはならない。

では、大きな声なら良いのかというとそうでもない。

国会議員の演説などは「大きな声でゆっくり」が基本なのだが、このとき、声が高くなってしまうと、とたんに単なる自己主張の強さとプライドが高い印象だけが残り、内容にも信頼性が感じられなくなる。こういう人を「口ばっかり」

という。

また、**低くて大きな声であっても、話すテンポが早いと威圧感を与えてしまう。**

そこで**「信頼感」を一番与えるのは、「大きくて低めの声で、かつゆっくりとした話し方」**ということになる。

あなたの声と話し方はどこに当てはまるだろうか。その短所がわかり、意識して話せば、あっという間に好印象に変わるはずだ。

自信のある声で心を掴む

このように**声と話し方で印象が変わり、「人柄」や「人間性」までわかるから面白い。**

この章の最初に書いた第一印象の話のとおり、聴覚からの印象が重要だとしたら、少しでも好印象を与えたいところ。

例えば、仕事の取引先との交渉などでは、いかにも自信のなさそうな声を出していては始まらない。一方で、無理して自信があるように見せようとすると、つい力んでしまい、かえって失敗する。先ほど例に挙げた「問題があると感じる声」の特徴④のうわずっている声（111P参照）は、特に「無理して」声を出しているときに起こりやすい。

「緊張」と「力み」が合わさったとき、声が「ひっくり返る」ことがある。特に緊張する「喋り出し」の第一声がひっくり返ってしまう人が、あなたの周りにもいるのではないだろうか。

本当の意味での自信のある声は、聴きやすく、落ち着いており、かつ、芯がしっかりしている。

この「芯」がしっかりしている声というのは、上半身に無駄な力が入っておらず、「丹田（おへその辺り）」に重心を置いて声を出している、いわゆる「腹式発声」（198P参照）ができているときの状態だ。**「芯」があると、声が安定し、ブレがないため、「自信」があるように感じられる。**

「腹」という言葉を使った良い慣用句がある。

「腹が据わっている」（物事に動じない意）
「腹を割って話す」（本音を曝けだす意）

どちらも自信があり、本音が言える人のたとえである。さらに、自信があるからこそ相手のことも大きな器で受け止めることができる。これぞ「信頼感」のある声の持ち主ならでは。そこに腹式発声は必須だ。

ここで１０９ページの声のボリュームについて補足しよう。
「自信のある声」のボリュームは、基準値１では小さいので、理想は「３のボリューム」程度。**自分の耳で聴いて「少し大きいかな」と感じるくらいが力強くて良い。これ以上大きすぎると「威圧感」を与えてしまい、自信過剰な印象を与える**ので注意したい。

自信のある声で人の心を掴みたいあなたは、まず、声のトーン、ボリューム、話し方のテンポを「自分の耳で」しっかりと聴いて確認すること。また、話している内容も「自分の耳で」確認しながら話すこと。聴きながら、話す。これは意識すればできるようになる。

発言内容に自信が持てないと、腹から声も出ないし、大きな声も出せなくなる。逆にいうと腹から出す大きな声で発言できるということは、自分の発言内容にも自信があるということになる。なお、この声のボリュームは相手との距離や人数によって変わる。

安心感のある声で心を掴む

先ほどの「自信のある声」にも言えるが、声のトーンで考えたとき、どんな高さだと「安心感」があるだろう？

ここでいう「安心感」は、相手がより「本音」をポロリと言いたくなる声のことである。序章でも紹介した「ヨロイを脱がせる声」とたとえられることもある。**同じ「声」でも話し方のテンポやリズムによって、相手の感情に与える影響は違う**のだ。

相手の気持ちを気遣って丁寧に声を出し、丁寧に話すことで、相手のテンポに寄り添うことができる。心理学用語の「ペーシング」（56P参照）の手法の一つである。自分のテンポに合わせてくれる上、心地良い声のトーンであれば、徐々に安心して話すことができるようになる。そして「安心感」は「信頼感」を生む。

ここでいう**「安心感・信頼感のある声」にするには、「やや低め」の声で「ゆっくり」話すこと。**また声のボリュームは自分の耳で聴いたときに、ほど良く聴こえてくる「1のボリューム」が良い。

「安心感」からさらに「信頼感」に繋がることで、相手は「本音」を出しても良いと感じ、ヨロイを脱いでリラックスし自ら語りだす。

ここでやはり大切なのが第1章で説明した「相槌」である。ここでは「安心感」に特化し、「声」の視点から今一度説明したい。

心の扉を開きたくなる相槌の声の色

「安心感」を覚える声の中でも、特に力を発揮するのが「相槌」の際の声である。

相手が自分を信頼し、自ら語りだしてもらうためには、こちらから何かしら話をするか、相手に質問をするか、いずれにせよ「きっかけ」が必要である。

あなたから話をする場合、最初は声のトーンを「やや高め」にして明るく話しかけていくと良い。その際、**やってはいけないのが「大きすぎる声のボリューム」と「早口」**である。

例えば声が小さい人は臆病な面があるため「安心」しないと話せない傾向がある。こういうタイプはその人自身と同じような「物静か」な人よりも、明るい人と話すほうが自分が無理して話さなくても良いと感じ、「安心」する。そこで、「やや高め」のトーンで「1」から「2」のボリュームでゆっくりと話しかけてあげると、向き合ってもらいやすい。

そして、相手が何か話し始めてくれたところで声のトーンをシフトチェンジ。

相槌を打つときの声を**「安心感」のある低めのトーンに変え**、ゆっくりと頷(うなず)いたり、リアクションしたりして次の言葉を待ってあげよう。すると、その相手は「この人なら聴いてくれる」と感じ、「安心して」徐々に本音を話し始める。

相手のタイプや話の内容に応じて、相槌の声の色を使い分けたい。

次の2つの例で見てみよう。

①辛い話

辛い、またはシリアスな話を聴くときの相槌の声の色は、特に相手に合わせてあげたい。なかには過去になんらかのトラウマや心に傷を負っている人もいるので、こんな話をして良いのか？　と不安を感じていることも多い。そういう人に対しての相槌は、**特に「ゆっくり」「低めのトーン」を心がける**ことによって、気持ちを落ち着かせることができる。

「はい」一つとっても、ハキハキと声を出すよりも、**ゆっくり「はい…」と、余韻をもたせる**くらいが良い。同じく「ああ…」「そうでしたか…」も、「…」の余韻が欲しい。

加えて、その人の感情が言葉に現れたとき、例えば「もう辛くて」と相手が言えば、「辛かったんですね…」などと**相手の気持ちをオウム返し**で繰り返してあげることが大切だ。

②嬉しい話

安心感が芽生え始めると、辛い話ばかりではなくなってくる。または、気持ちを切り替えてあげるために「嬉しかった話」をあえて聴きだすことも、相手の心が動くポイントとなる。

嬉しい話のときには「低めのトーン」ではなく「やや高音」の相槌が効果的。先ほど述べたように、高音には明るさや楽しさを高める効果があるので、ここではハキハキとテンポよく相槌を打っていく。

例えば、**「はい！」「そうなんですか!?」「へえ〜」と相槌の声を高くして、表情豊かに相槌を打つ。**このような相槌をしてもらえると、相手は「自分の話に興味を持ってくれている。この人は信頼できる人だ」と感じ、どんどん本音を言えるようになっていく。

繰り返しになるが話すことは「聞く」こと。特に相手に寄り添う必要がある場面では「聴く」を心がけてもらいたい。

たかが相槌。されど相槌。それぞれの場合の声のトーンを理解しておくだけでも、あなたは信頼される人になれる。

感情を揺さぶる5つの音のエネルギー

相手を安心させるのも、盛り上げるのも、声のトーンと話し方が大きく関わっていることがご理解いただけたと思う。

ここでもう一つ、声と話し方に加えて「信頼感」に深く関係してくる音の話「声の抑揚」について説明する。抑揚には「熱」や「エネルギー」を醸（かも）しだす力がある。

声の抑揚

話す単語一つひとつが持つアクセントの「**高低差**」、または文章のセンテンスの中で表現されるイントネーションの「**高低差**」のことを「抑揚」と言い、高い音と低い音の変化があまりないことを「**抑揚がない**」、逆に高い音と低い音の差が大きいことを「**抑揚がある**」という。

ピアノの鍵盤のドレミファソで考えてもらうとわかりやすい。次ページの図のとおりと

◎声を構成する音たち

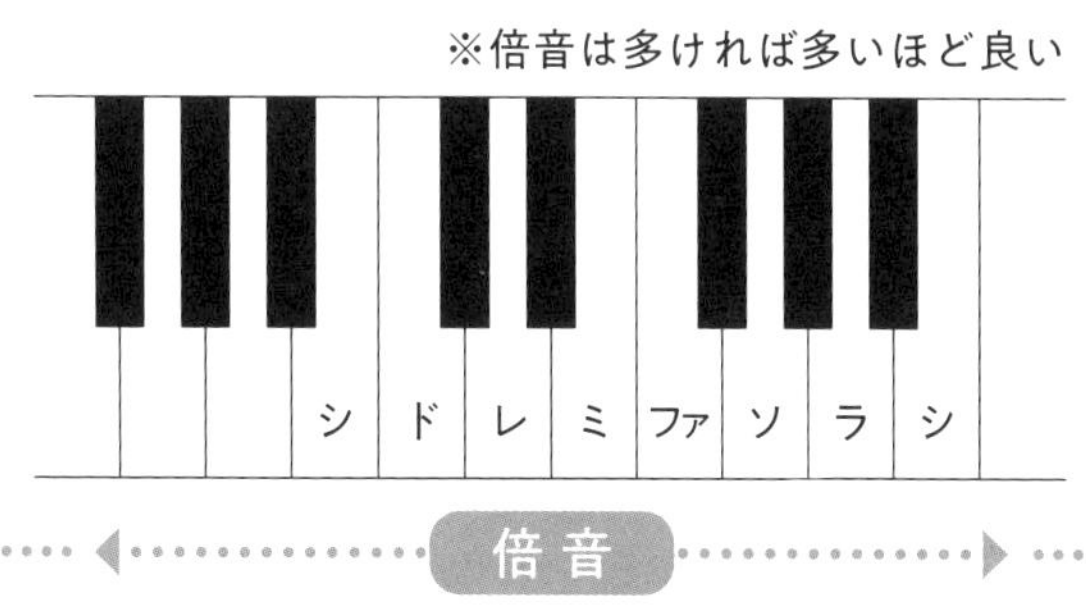

なる。

ちなみに「倍音」というのは、簡単にいうと、声や音を構成しているさまざまな音の幅のことで、倍音が多ければ多いほど声の聴こえ方に膨らみや奥行き、厚みがあり、印象深くなる。「信頼感」「安心感」も与えやすい。

では、「抑揚」と「声のトーン」の関係について説明する。次ページの図を見てもらいたい。

先ほども声の大小と高低の組み合わせで印象が変わると言ったが（１１４Ｐ参照）、**「抑揚」と「声のトーン」の組み合わせによってもイメージが変わる。**

「抑揚がある」ほうが元気で明るいイメージになり、そのとき声が高ければ、より明るさが際立つ。

◎声の抑揚と高低で生じるイメージ

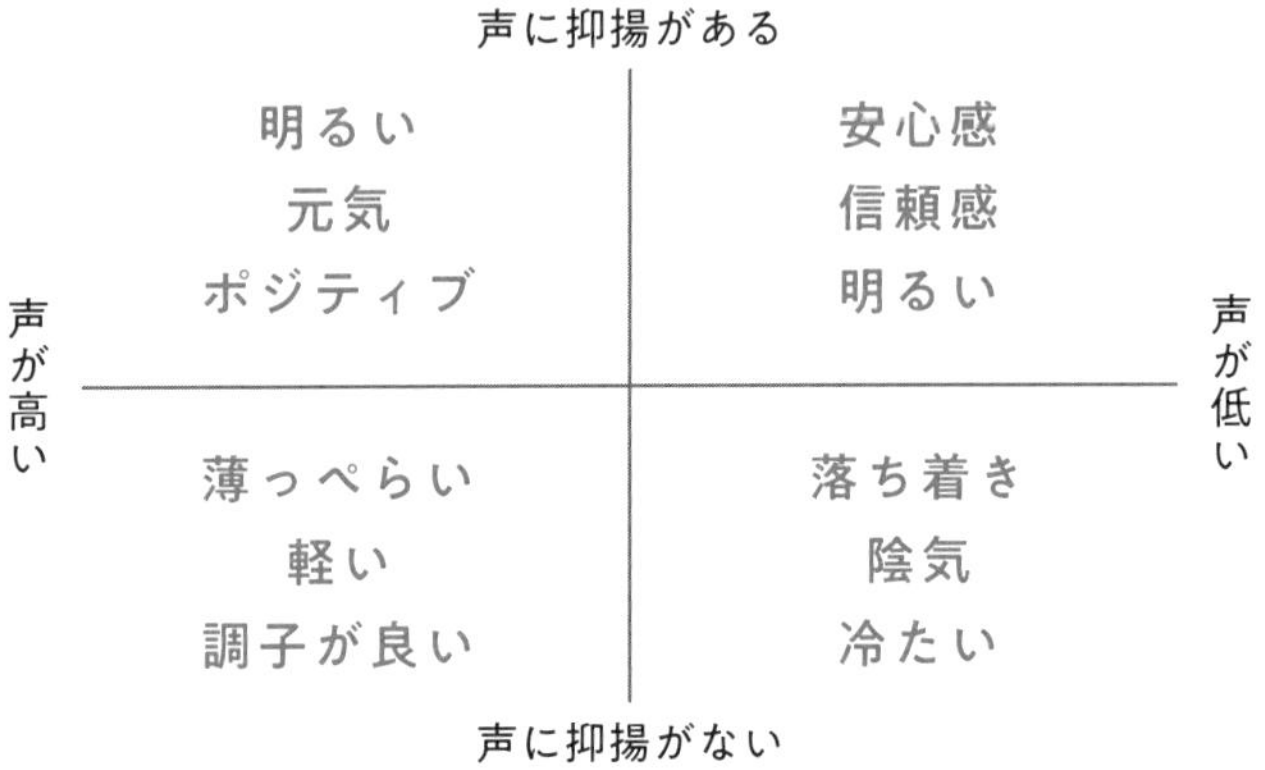

低くゆっくり抑揚をつけずに話すことで、落ち着き、寄り添い、同調、癒やしなどの効果があります。

一方、**「抑揚がない」と、いわゆる「棒読み」となり、感情が入っていないように聞こえる。**

「抑揚」には「熱」や「エネルギー」を醸しだす力がある、と本項の最初に書いたのはそのためだ。

抑揚がなければないほど、声が低いと陰気に感じられ、声が高いと、より軽薄な印象を与えてしまう。

使う音で変わる印象

ここでもう一度前ページの図「声を構成する音たち」を見てもらいたい。抑揚の音をドレミファソの音階で考えてみる。絶対音感ではなく、あなたの音域でのドレミファソで構わない。

一番抑揚がないのは、**1音だけ**の場合で、まるで昭和のロボットのような話し方になる。

次に**2音しか**使っていない声の抑揚の場合で考えてみよう。

2音は2音でも、高い音「ファ」と「ソ」を使っているのであれば暗くは聞こえない。しかし、信頼感は薄く、調子の良い人、軽い人、という印象を与える。

逆に低い音で、しかも「ド」と「レ」の**2音しか**使っていない抑揚の場合は、陰気で、冷たい人という印象を与えてしまう。やはり、せめて「ドレミ」の**3音**を使いたい。

高い音でも低い音でも、せめて3音を使った抑揚をつけることで、安心感と信頼感を与えられるようになる。

ここで次ページの図を参考に、二次元コードを読みとって声の抑揚を真似してみよう。

「声の抑揚・コエノヨクヨウ」という言葉を「抑揚がなく」「低い声」で表現すると、ピアノの音階「ド」と「レ」の**2音**の幅でしか抑揚がついていない状態となる。

一方、「抑揚がある」声にすると、「ドレミファソ」の**5音**を使うことになる。

声の抑揚は、上から下まで幅広く使えば使うほど、人の感情を揺さぶることができる。

◎抑揚のない2音と抑揚のある5音の例

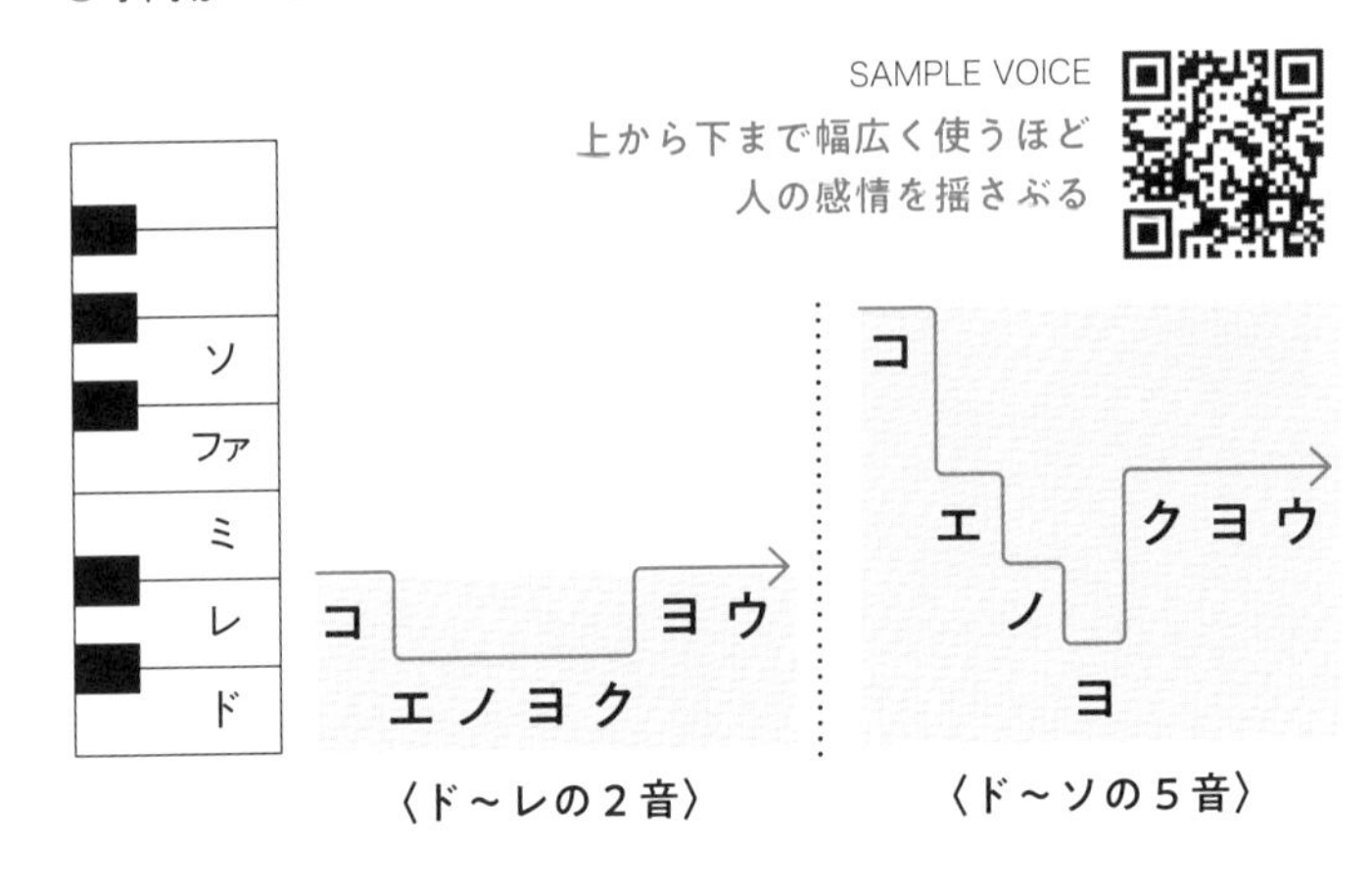

〈ド～レの2音〉　〈ド～ソの5音〉

熱とエネルギーを感じるからこそ、人は感情を揺さぶられるのだ。

また、この**5音**を使って抑揚をつけようとすると自然に声も大きくなるため、声に力強さが出てくる。

元気な信頼感のある声を聞くだけで、相手はそのエネルギーを感じ、感情を揺さぶられるだろう。声を聞いているだけで自分まで元気になってくる！　という状態だ。

抑揚の応用で感情を揺さぶる

「ドレミファソ」の**5音**を使うことができるようになると、話の内容によって、使う音を自由に変えて表現できるようになる。「ドレミ」や「ミファソ」など、**3音だけ**を使ったり、場合によっては「ドレ」の**2音だけ**をあえて使うこともできる。相手の感情次第で、寄り添う声の抑揚を選んで使い分けられる。

声の抑揚の変化がある人は感情表現が上手だ。だから、自分の気持ちを相手に伝えることもできる上、相手の心を惹き付けることもできる。

先ほど「相槌の声の色」の話の中で、安心感を与える声は低めのトーンだと書いた（121P参照）。ということは、抑揚もなるべく差をつけないほうが、安心感があると言える。

ただし、「ドレ」の2音だけしか使わなくて良いのは相槌のときだけであって、質問したり、話すときには3音の抑揚を使うのが効果的だ。

2音だけの抑揚だと、ともすれば暗く陰気に聞こえがちで、安心感よりも「不安感」「恐怖感」を掻き立ててしまう。安心感を与えるならばせめて**3音**は使って抑揚をつけたいところだ。

5音で作る声の抑揚は、相手の感情を揺さぶるエネルギーを持つ。

ただし、この抑揚を自由に扱うには、「腹式発声」が必須であり、日頃から「腹式発声」ができていないと、場面に応じて声の大小も抑揚も使い分けられない。これができるだけで「秒」で信頼されるための大きな武器となる（詳しくは198P参照）。

テンポ&リズムから生まれる心の動き

声ではなく、「話し方」になるが、**先ほどの声の抑揚に加えて、もう一つ体得したいのがテンポとリズム**である。

相手によってテンポを変える、「ペーシング」の大切さはすでに述べたとおりで、おさらいすると、なかなか本音を言えない「ヨロイを脱げない」タイプの人には、ゆっくりと話してあげることが大切だ。また、**リズム感は、メトロノームのように一定のリズムを作ってあげられると安心する。**

私たちは音楽を聴いたとき、同じテンポが続くと眠くなり、緩急がついた音楽を聴くと、気分が盛り上がってくる。映画やドラマなどで、緊迫したシーンにテンポの早いＢＧＭが流れてくると、一緒になってドキドキしてくるし、悲しいシーンで静かでゆっくりしたリズムのＢＧＭが流れてくると、じわりじわりと共感してくる。

このように音楽と私たちの話すリズムはまったく同じ。**相手をどんな気持ちにさせられるかは、話すテンポとリズムにかかっている。**

相手に安心して欲しいときは、一定のリズムを作ると良いと言ったが、例えば相槌。相槌を打つとき、相手の言葉尻を捉えて、食い気味に言うのではなく、相手が言い終わったところで、「はい」と言う。これを一定の間隔で挟んでいく。

繰り返しの相槌は、相手の安心感を生み、心を落ち着かせる。

一方、こちらが「興味を持っていることをアピールしてあげたい」という相手の場合は、ときには食い気味に「ええっ！」と驚きの相槌を打ったり「それで？　そのあとどうなったのですか？」などと質問したりする。

そうすることで、相手が乗ってきて、リズムに乗ってきてテンポ良く話し始める。そして、感情が揺さぶられるうちに、ついつい本音を話してしまう。

声の抑揚と同じで、話し方のテンポやリズムに変化をつけられると、人はその声と話し方に惹かれていき、いつの間にか「この人なら」と信頼するようになる。これはどんな人が相手であっても使える技であり、間違いなく心を掴むことができるようになる。

声のコンダクター（指揮者）になる

先ほど説明したとおり、声と音楽には共通する点が多くある。

声のトーンやボリューム、抑揚や、話し方のテンポ、リズムなどで、相手の感情を大きく揺さぶることができる。それを司るのは自分自身。自分自身が声のコンダクター・指揮者となって、コミュニケーションをとる相手の心を捉え、感情を揺さぶっていかなければならない。

また、オーケストラのコンダクターは、曲の進行に応じて、次の楽器へ指示を出し、ときに潔く、ときにやんわりと、その音色を引きだしていく。

会話も同じで、相手の心を優しく包むように「次はあなたの話を聴かせてください」と促したり、「ハイどうぞ!」と素早くタクトを振ったりして、気づけばどんどんこちらのペースにハマってしまっていた、という状況を作れるようにする。相手が自然に心地良く本音を言える信頼関係を作っていくことが必要である。

声のコンダクターは声の色や、話し方のテンポとリズムをどこでどう扱うか？　を決断しなければならない重要な役回りだ。最初は思うようにタクトを振れないかもしれないが、相手が今、どのような状態かを理解できさえすれば、相手のことを思いやりながらも瞬時に判断して2人の会話という交響曲を紡ぎ出すことができる。

挨拶で相手の心を掴む

最後に私が日頃、実践している心を掴む声と抑揚のコツを実際の音声も使って紹介しよう。

「おはようございます」

誰でも言っている、この当たり前の挨拶（あいさつ）のひと言だけでも相手に好印象を持ってもらうことができる。

ポイントは抑揚をつけること。よくマナーなどの書籍で、第一印象をアップさせる方法として「挨拶は高めのトーンで明るく」などと書いてあるのをよく見かける。しかし、**多くの人が誤解しているのが、この「高めのトーン」の捉え方**である。

先ほど説明した「ドレミファソ」の**5音**の中の高めのトーンということは「ミファソ」となるのだが、「高め」と言われると、つい勘違いして「ファ」と「ソ」の高い音の2音で声を出してしまう。そうすると、どういう印象になるか。

「嘘くさい」「作っている」「頭悪そう」「品がない」「うるさい」など…

とにかく**2音しか使わない抑揚の声や話し方は、高い声であればあるほど薄っぺらい**のである。二次元コードを読み取って、私の声の抑揚を確認して欲しい。

「高めのトーン」でも構わないので、せめて**3音**を意識した「おはようございます」にすることをお勧めする。

◎抑揚のない2音と抑揚のある3音の例

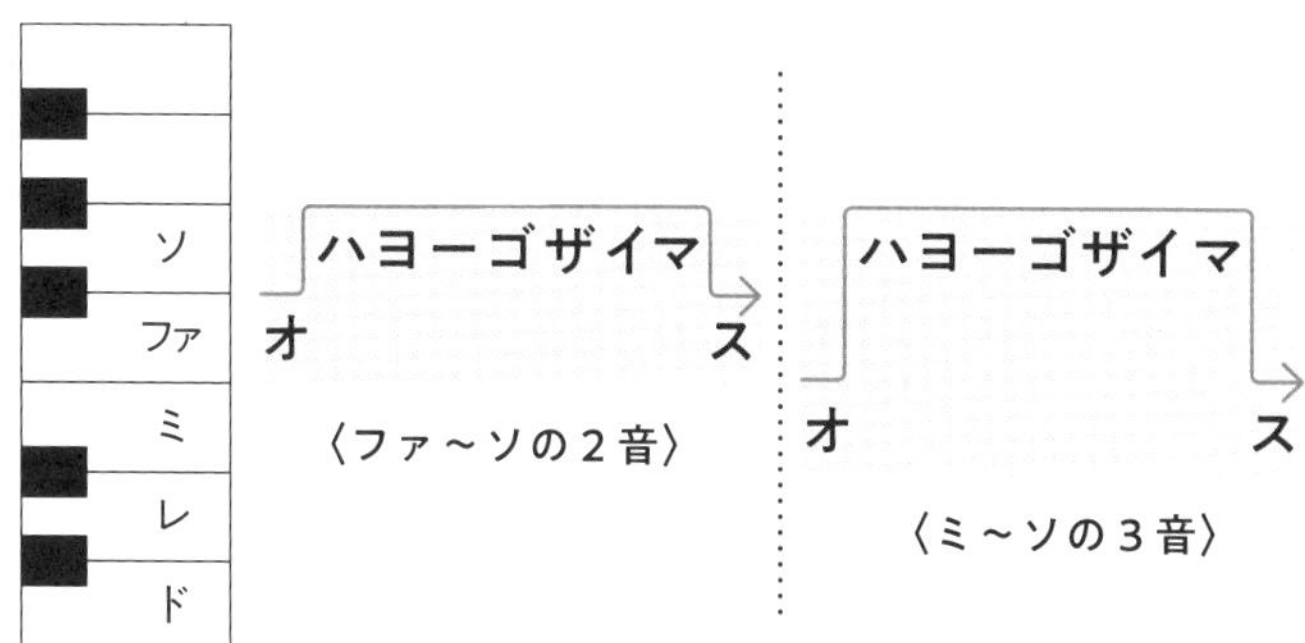

SAMPLE VOICE
2音しか使わない抑揚の話し方は、高い声であればあるほど薄っぺらくなる。

音でいうと「おはよう」の「お」をしっかり下げて【ミ】の音を出し、「は」を【ソ】の高さにまで上げる。声のボリュームは「3」ぐらいだと明るさと元気さが伝わる。

この低い【ミ】の音を抑揚の中に入れることによって、明るく、しかも信頼感のある話し方に聴こえてくる。

あなたの周りで、声が高くて、抑揚がなく、せっかく良いことを話していても心に響かない人、何を言っているのかさっぱり伝わらない人、説得力のない人はいないだろうか。

声の抑揚は人の心を動かす最強の武器になるのにもったいないことだ。

ゆえに、人から信頼されたいと思ってい

るあなたは、**低い音をしっかり使いこなし、明るさと信頼感を兼ね備えた声の抑揚を心がける**と良い。

また、信頼感を出すために無理して低い声に変えようとする人がいる。特に男性に多い。これは先ほどの「高めのトーン」で明るく好印象に、の逆で、「低いほうが信頼される声」だとどこかで聞いた話を勘違いしている。

自分の自然な声のトーンではない「低いトーン」で、しかも**2音**の抑揚しか使わないと、暗く聴こえたり冷たい印象を与えたりしてしまう。

明るさと信頼感を求めるならば、やはり3音「ドレミ」の抑揚が大切。この場合も【ド】という低い音をしっかり出し、特に文末の音を上げたままにせずに【ド】まで落として終わること。

例えば「承知しました」と返事するとき、「しました」の「た」が【ミ】や【レ】の音だと、締まらない。「本当に理解しているのか？」と相手は不安になるだろう。「た」を【ド】まで下げることにより、文末の着地がしっかりし、信頼感を生むのである。この文末の話し方については第4章208ページで詳しく説明する。

こうして見てみると、**声の使い方によって、周囲からの信頼を得られるかどうかが決まってくることがよくわかる。**

ただ、誰彼なしに信頼を得て、頼られすぎても正直困るかもしれない。ぜひ、「この人とは信頼関係を構築し、お互い本音で語り合える仲になりたい」。そう強く思える、自分にとって大切な相手にだけこの声の使い方をすれば良いだろう。

声の魔法はそれくらい最強の武器であり、強い効力を持っている。

第2章 Point

- 声は鍛えられ、磨かれさえすれば進化できる
- 自分の声を自分の耳で確認する習慣をつけて、自分の声を客観的に確認する
- 「声」は「音」。聴こえてくる音域によって、感情の揺さぶられ方が変わる
- 話し方のテンポやリズムによって、相手の感情に与える影響は違う
- 相手のタイプや話の内容（辛い話、嬉しい話など）に応じて相槌の声の色を使い分ける
- ドレミファソの5音で作る声の抑揚は、相手の感情を揺さぶるエネルギーを持つ
- 声の抑揚は人の心を動かす最強の武器になる

第3章

この人なら！と信じられる「話し方」

私自身がヨロイを脱ぐようになったワケ

ずるい女

本書の冒頭にも書いたが、今でこそ、初対面の相手でも「本音」を引きだし、信頼してもらえる私だが、以前は人に深く関わるのが苦手だった。表面上は誰とでも話せる気さくなタイプでも、自分の心の中は誰にも見せずに本音を隠していた。

特に中学・高校時代は、誰にも打ち明けられない秘密を抱えていて、それを隠すために、明るく元気で冷静な自分を装うことを最優先に考える女の子だった。

理科の授業中、何度もお腹が痛くなったのは、実はその誰にも言えない悩みが原因だったと、大人になってから気づいた。

秘密を抱えていた私は、どんなに楽しく賑やかな場面でも、心の底ではいつも一歩引いてみんなを眺めていたのだった。

そんな冷静なふうを見せているせいか、当時の私は周りの人に大人っぽい印象を与えるようだった。何かと人に相談されるのである。同性異性問わず頼られることも多かった。もちろん頼られると嬉しいので、全力で話を聴き、アドバイスしていたのだが、一方通行に感じた友人から「都代子って秘密主義！　たまには私も相談に乗るよ」と言われたこともあった。

私の心の中なんて誰にもわからない。

言っても仕方ない。

そもそも悩みごとを抱えていることも知られたくないし恥ずかしい。

そんなふうに思い、受け流していた。

私は高校から京都に引っ越したのだが、その高校でも、明るくリーダーシップを発揮し、それなりに成績も良かったのでクラスメイトから頼られた。先生からの評判も良かった。

人から相談され、他人の話は何かと聞きだすのに、やはり自分のこととなると口を閉ざす。

自分自身の心の中も悩みも、弱いところも見せないならば、他人の心の中も覗（のぞ）いてはいけない。そうでないとフェアではないと思う。ところが…それでも、勝手にみんな私に打ち明けてくる。私は秘密主義のずるい人間だった。

恥ずかしい話はオイシイの？

転機となったのは短大に入学したときのこと。

京都に住みながら大阪の短大に通うようになって新しい友人ができた。

友人の1人がザ・関西人。絶妙なトーク力の持ち主で、いつも生活のあらゆることを面白おかしく話してくれる。私たちのグループは、いつも彼女の爆笑トークにお腹を抱え笑った。そして、いつしか、その彼女のトークに対して、私が鋭くツッコミを入れる、という図式ができあがっていった。

関西人のユーモアセンスは素晴らしい。

生まれ育った鎌倉。その後引っ越して通った京都の高校時代には、まったく感じられなかったトークのスピード感とボケ・ツッコミの応酬を、私はこのとき徹底的に学んだ。

また、関西人の自虐ネタには度肝を抜かれた。

友人が電車とホームの隙間に落ちたときの話は何度聞いても笑ってしまう。

「京阪の寝屋川駅でな、人がワーっといる中電車に乗ろうと思ったら、急に視界が変わってん！　ずぼーって電車とホームの隙間に挟まっとって！　うそやん！　そしたらみなが腕抱えて引っ張り上げてくれてな！　めっちゃ恥ずかしいし、何事もなかったようにしたかったのに怪我してるかもしれへん〜ゆうて駅長室に連れていかれて…」

落ちただけではなく、そのあと病院に運ばれ、若いインターンの先生たちに取り囲まれる中、診察を受けたらしい。さらに服を脱いだ状態で「両手をあげてみて」と言われたのだが、そんな日に限って腋毛の処理をしていなかった友人。

「えーい、ままよ！　って手ぇあげてん！」

恥ずかしい思いをしたことよりも、このネタをいかにも「オイシイ」といわんばかりに披露する友人のセンスが素晴らしく、私は涙を流しながら爆笑した。

このような友人との交流は、私にとって「失敗はネタ」という価値観を強烈に植えつけてくれることになる。

実は子どもの頃から恥ずかしい失敗は山ほど経験している。そんな恥ずかしいことは「自分の弱み」だと考え、隠していた私。ある日、思わず「私もこんなことあったよ」と、幼稚園の頃の「トヨコパンツ履いてない事件」を語るとみんなが爆笑して…。

それは私がまだ5歳くらいの頃。幼稚園帰りに友だちの家に姉と一緒に遊びに行ったときのことである。

しばらくしてお腹が痛くなり、慌ててトイレに駆け込んだものの間に合わず、漏らしてしまった。「まずい…」。幼稚園児トヨコは考えた。そして、パンツを脱ぐと、それをそっと自分のお弁当かばんの中にしまったのだった。

しばらくして、みなで幼稚園の園庭で遊ぶことになった。ノーパンだけど気にしない！

いや、すでにノーパンであることを忘れていた。

幼稚園には長い滑り台がある。順番にすべり台を滑っていき、私の番となった。

「わーい！」。幼いトヨコは両手をバンザイして意気揚々と滑り始めた。その直後である。

下で見ていた姉が大きな声で言った。


「あ！　トヨコパンツ履いてない！」

笑ってもらえると心が軽くなる。もっとあるよ、いろんなネタ！

あの「トヨコパンツ履いてない事件」は、私の中で「恥ずかしい記憶の代表格」として
長くトラウマとなっていたが、こうして笑ってもらえたことによって昇華した気がした。
そんな経験を積み重ねていくうちに、**失敗談や恥ずかしい話は「オイシイ」私の財産**だ
と思えるようになっていった。

威圧感のある女

初対面の人と話すとき、私は相手に威圧感を与えるらしい。自分ではそんなつもりはまったくないのだが、今となっては、その威圧感の理由を分析できる。

①背が高い
②声が低い
③声に力強さがある
④抑揚が2音
⑤ヨロイを着ている

この本をここまで書いてきた中で、**私自身がお伝えしている「信頼されない」「安心感を与えない」条件がずらり。私はまさにダメダメの第一印象だった**わけだ。これはどう考えても「損」である。

私がまだ新人だった頃、仕事現場で「よろしくお願いします」と挨拶しても、どことなく「ベテラン」のように見えてしまっていた。内心はドキドキで緊張しているのに、先ほどの5つの理由から、新人っぽく見えなかったのだ。しかも、ニコニコ愛想よくできるタイプでもなかったため、初々しさなど微塵もなかった（らしい）。

そのため「生意気そう」と思われていた（らしい）。

というのも、あとになって、若い頃の私について、

「あんた、生意気やったもんな」

と笑って指摘されたことが何度もあった。

面と向かってそう言われたということは、**その後、ちゃんと本来の私を理解してもらえ信頼関係が構築できた**からこそなのだが、新人の頃の私が誤解されていたことがショックだった。

当時の映像業界は男性社会。女性は可愛がられないと、なかなか仕事にありつけない側面があった。

しかし、今でも私が現役アナウンサーとして仕事ができているのは、自分で言うのもはばかられるが「仕事の実力があったから」だと思う。

愛想は良くなくとも、依頼された仕事をしっかりこなし、トークもナレーションもうまかったのが救いだった。重ね重ね自画自賛、恐縮です。

そして、何度か繰り返し仕事をさせてもらううちに、現場のスタッフさんと雑談をするようになり、そこで**本来の私の面白いところや、失敗ネタを開示することもできるようになった**。

いつしか「下間さんって面白いね」と人間的なキャラクターも受け入れられたのだった。

一方で、どんなに愛想が良くて顔が可愛くても、仕事の実力がなく、人間的な深みがない人は短い期間に消えていくという現実を知った。人気商売であるアナウンサーが長く売れ続けるのはとても難しい。

ギャップは武器になる

また、私は威圧感のある自分の見た目や印象が「損」ではなく「武器」になることにも気づいた。

脳科学とＮＬＰ心理学などを応用し、「大人のための恋愛塾」を運営しているＷａｋａさんによると、**印象が悪いイメージの人が、何かしらをきっかけにして一瞬良い人のように見える瞬間、人は、「この人は本当は良い人だった」と信じる傾向がある**という。

例えば、いかにもヤンキー風の金髪の若者が、電車内でお年寄りにさっと席を譲るのを見たとき、意外なギャップに「この子素敵だな」「人は見かけによらないなあ」と感じることがある。そしてこの人の本質は「良い人」だと信じる。

それと同じで、私のように最初から良い人そうに見えないほうが、結果、得だと気づいた。

このことに気づいてから、私は無理して愛想良くするのをやめた（それまでは、一応自分なりに努力はしていた）。

さらに、賢そうに見せるのもやめた（信頼されるために、実は賢いふりをしていた）。

ありのままの自分を自分自身が受け入れられるようになると、マイペースに生きられる。初対面の人にも緊張しなくなり、すぐに打ち解けられる。

例えばこんな感じだ。

大阪梅田。ヒルトンホテルの喫茶店。今日は私のホームページから問い合わせがあった講演依頼のクライアントさんとの初顔合わせだ。

「下間さんはどんな人だろう」

メールのやりとりはしているが、おそらく相手は私のことをテレビやラジオに出演しているちょっと有名な人、と思い、緊張しているに違いない。第一印象が大事である。

そして…威圧感たっぷりの私が登場！　相手は緊張！

「わ！　迫力ある女性が来た！」と思った（後日談）。

～ COLUMN ～

ホリベ ユカリさんが
“秒”で私を信頼したら、人生が変わった話

声優養成所の講師をしていたとき、彼女と知り合った。私はそこでナレーションを指導。役者であるホリベさんは演技指導をしていた。はじめて話したときのことを彼女が覚えていた。

ホリベ「授業、緊張するんです」

わたし「緊張する生徒さんの気持ちがわかるから、それもいいんじゃない？」

こう答えたそうだ。

我ながら「良いこと言うやん」と思うが、ホリベさんによると、私とのはじめての会話で、「声」と「佇まい」から「この人なら」と信頼できたらしい。

その後、彼女は「誰かの言うことを一度は全面的に信じてみよう」と思い、私にプライベートレッスンを申し込んできた。それがきっかけとなり、役者だったホリベさんは今では、「イラストレーター」としての才能も発揮している。

ところが、その威圧感たっぷりの私がにっこりと表情を崩して、

「はじめまして！　下間です～」

こう明るく話しかけると、

「あれ？　怖くないんだ」と相手は力が抜ける。

そうなったらもうこちらのペース。私は自己紹介をし、学生時代に培ったトーク力を使ってご挨拶がわりの失敗談を面白おかしく話す。すると、相手は笑いだし、あっという間に「威圧感たっぷりの第一印象と違って面白い人」と受け止めてもらえるようになる。

自己開示することで、ギャップが生まれ、相手に親近感を抱かせるのだ。

特に初対面の場合は、お互い心の武装・ヨロイを着ている状態から、いかに早く武装解除できるかが鍵となるため、ギャップが良い意味で武器になる。

まず先に自分からヨロイを脱ぐ

自分の弱みも失敗も、丸出しにして相手と仲良くなる手法は、今や私の特技だと言える。とはいうものの、私がなんでも自己開示できたのか？　というと、そうでもない。

誰でも他人には言えない話が一つ二つあるものだ。

先ほども書いたが、中学時代から抱えていた大きな心の傷、誰にも言えない秘密については、どうしてもネタにして語ることはできなかった。それを語れるようになるには、さらに10年の歳月が必要だった…。

「って、語れるんかい！」というツッコミが聞こえてきそうだが、これも今や私にとっては人生のエッセンス、ドラマ、エピソードの一つとなった。

本書のテーマと外れるので私の心の傷――誰にも言えなかった話については、ここでは割愛するが、私は心に闇を抱えながらも、アナウンサーという一種華やかな職業で実績を築いていった。そして、

人を笑わせるのが好きなうっかり者
威圧感はあるものの信頼されるアナウンサー

まったく違った2つの顔、「ギャップ」という武器を手に自分の人生を歩んでいる。

今、私が、かつての心の傷となった出来事を開示しているのには理由がある。

「誰かの役に立つかもしれない」と感じているからだ。

だから、私は自分から先にヨロイを脱ぐ。たとえ第一印象で威圧的に見えたとしても、人間関係の上で「損」になりそうな短所も、今なら覆せる自信がある。

自分を守るための武装をすることも、着飾る必要も感じない。

さて、先に私がヨロイを脱いで失敗や弱みを曝けだすと、相手はどうするか。「この人なら自分も本当の姿を見せられるかも」と安心し、同じくヨロイを自然に脱ぎ始める。

フェアな態度が信頼関係の始まりだ。

その際、笑いが伴う失敗や弱みだとなお良い。何度も言うが、笑いは本当に場を和ませ、人と人の間のエネルギーを繋げてくれるような役割がある。

まずは**相手にヨロイを下ろしてもらうためにも、自分がいつでも誰に対しても身軽でい**られることが理想だと思う。

相手がヨロイを脱ぐ「決めつけクエスチョン」

人は笑うと緊張感がほぐれ、場を和やかにすると先ほど述べた。

相手の心が緩んだところで、私は興味深く質問を投げかける。**自分から先に失敗談を開示したことで、相手との距離が近くなっている**ので、すかさず相手も同じ土俵に上げるため、こんな質問を投げかける。

「私、ほんとバカなんですよ。◯◯さんはそんなことないでしょうねえ？」

と、決めつけた言い方をするのだ。

この**「決めつけクエスチョン」は、自分を下げて、相手を上げるときに有効**である。

◎心を揺さぶる「決めつけクエスチョン」

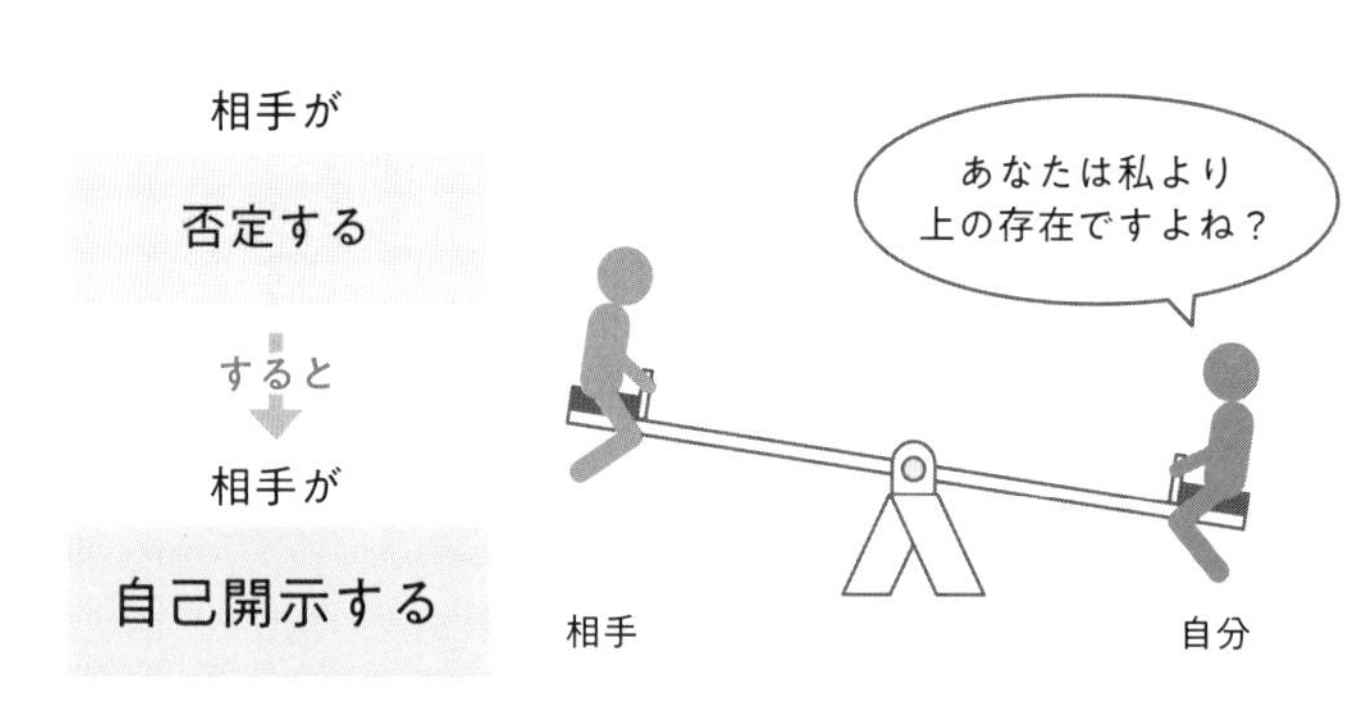

「私はバカだがあなたはバカではない」

ほとんどの場合、ここで相手は「そんなことないです」と否定する。

かつて流行った「私、失敗しないので」なんて、初対面で自信満々に言う人はなかなかいない。

日本人は特に謙虚で、初対面の相手にどう見られるか、気になって仕方ない。どちらかというと「自分に自信がない」人のほうが多い。

だから私が先に失敗談を晒すことで、相手も安心して自分も「ダメなところがたくさんある」と返答してくれる。

だから、

「私、ほんとバカなんですよ。○○さんはそんなことなないでしょうねえ？」

と、「決めつけクエスチョン」をすることで、慌てて「そんなことないです」と答えてくる。

そこで今度はこう返す。

「へー意外です！　私と同じですね！　どんなことがあるのですか？」

ここまでくると、2人は「同類」「仲間」となる。

このようにして、149ページに書いたとおり、私は見た目の威圧感と実は面白い人というギャップを武器に、自らヨロイを下ろし、相手の懐に飛び込んで距離を縮めていく。

その際、2人の間に「笑い」が生まれると、より親近感が増していく。

こうして2人が武装解除となったところで、次は信頼されるためにどうすれば良いのか。第1章の「聞き方」を駆使して、「感情」と「本音」を引きだしていきたい。

ちなみに、この「決めつけクエスチョン」をするとき、下げる対象を間違えて逆にすると大変なことになる。自分を上げて、相手を下げてしまうことになる。

「私、ほんと賢いんですよ。○○さんはバカですよね？」

これは最悪なので注意して欲しい。

立場を入れ替えた「決めつけクエスチョン」をやっても構わないのは、よほど仲良くなって信頼関係が築けた相手だけだ。相手を下げても笑える間柄になれば2人の信頼は強固なものだと言える。ただし、その際には、かなりユーモアの力が必要になるだろう。

信頼される人の共通点

信頼される人とはどんな人だろうか。
次のように、「考え方」と「行動」の2つに大きく分けられる。

〈考え方〉
常に公平・平常心・客観性がある・裏表がない・粘り強い・柔軟性がある・感情が豊か・正直・素直・説得力がある・本音主義・意見が的確・バランス感覚がある・頭の回転が早い・ユーモアがある・愛がある・明るい・共感力がある・好かれようと思っていない・器が大きい・安心感がある・信じられる・任せられる

〈行動〉
常に公平・平常心・丁寧・気配り上手・責任感がある・約束を守る・頼れる・隙がある・判断力がある・決断が早い・裏表がない・バランス感覚がある・愛がある・真摯・継続力がある・誰かのために動ける・信じられる・意見をはっきり言う・行動力がある・言語化がうまい・応援力がある

「考え方」「行動」で共通することもあり、挙げたらキリがないほどその要素は多岐にわたる。

この本を書いているのだから、私自身もこれに当てはまっていないと書く資格がないわけだが、そのあたりは大らかに見てもらい、ツッコムのはご勘弁いただきたい。

この本は「声」と「話し方」をとおして信頼されることを目的にしているので、このたくさんある「信頼される人の共通点」の中から、特に**「話し方」を変えるだけで信頼感が高まるポイント3つを紹介し、どのようにすれば良いのかを解説する。**

① ユーモアを交える
② 感情を揺さぶる
③ 本音を言う

これら3つは「話し方」次第で残念な結果にもなるし、関係性を深めていくこともできる。特に上司と部下や、先生と生徒の間などで有効だと言える。

「ユーモア」も「ネガティブ」もメリハリが大事

うっかりがもたらす幸福論

学生時代の友人のおかげで、私は「失敗はオイシイ」と思えるようになったと先に述べた。この失敗談というのは多くのメリットをもたらす。

本人にしたら穴があったら入りたいようなことでも、他人からしたら「面白い」わけで、口では「気の毒」とか「それは大変だったね」などと言うが、本音のところでは笑っている。

「笑う」「笑わせる」というコミュニケーションほど、人と人の距離を縮めるものはない。

とはいえ、あなたはこう思うかもしれない。

「私は面白いことが言えない…」
「笑わせるってどうやるの？」

ここで**一番簡単な方法が「失敗談」を話すこと**だ。特に初対面の相手はヨロイを身につけているため、相手が「敵」か「味方」か、推測している。相手との間には大きな壁があるということだ。

そこで、自ら「ヨロイを脱ぐ」ことで、相手が安心する。そのためには「失敗談」や「弱み」を晒(さら)すのが手っとり早い。さらに「失敗談」は笑えない深刻なものではなく、当の本人も「ネタ」として扱える程度の軽いものが良い。

実は私は「全国うっかり協会」なるものを運営している。「運営」とはいうものの、勝手にハッシュタグをつけて「うっかりネタ」をSNSで発信しているだけなのだが、これが結構ウケが良い。

例えばある朝のこと。

化粧水を手のひらに直接振って、顔にパッティングしたら、それは化粧水ではなく、除光液だった、とか。

あるときは、街を歩いていて、なんとなく視界がぼやけるので、目眩（めまい）かと思ったら、ハードコンタクトレンズを片目に2枚重ねて入れていた、とか。

自分だけが困る話で、他人が聞いたら「本当に？」「嘘でしょ！」と笑ってくれるような内容であると、次のような反応がもらえる。

「しっかりしてそうなのに**意外ですね**」

そう。ここでわかるのは、**ギャップがあればあるほど失敗談が面白く笑いに繋がる**ということだ。

「ユーモアはメリハリが大事」の「メリハリ」とは**【ギャップ】**のこと。【ギャップ】があると魅力的な武器になることは149ページですでに述べた。この失敗談をとおして生まれる「笑い」は、「最速」で「ヨロイを脱ぎたくなる」きっかけとなる。

もう一度順番を整理してみる。

①笑える失敗談を披露する
②笑いが生まれる
③場が和む
④エネルギーが繋がる
⑤安心してヨロイを脱ぐ
⑥信頼できる

このように**ちょっとした失敗談で、人と人が〝秒〟で「信頼」という絆で結ばれる**のだから面白い。安心・信頼してくれる関係が「失敗談」から生まれるのなら、こんな幸せなことはない。どんどん失敗していこうではないか！　とさえ思える。

このように失敗談が周りを笑いで包み、自分の信頼まで上がることから、私はこの良い循環のあり方を「**うっかりがもたらす幸福論**」と言っている。

ネガティブがもたらす共感論

もう一つ「ユーモア」と共通点があるのが「ネガティブ」。

笑える失敗談で安心感が生まれるのと同じように、ネガティブな自分を晒すことで相手はやはり安心する。

ほとんどの人が自分自身になんらかのネガティブな要素を持っている。笑える失敗談ではなく、落ち込んでしまうほどの失敗談や、トラウマになっているほどの経験などだ。

このような経験を「汚点」と捉え、誰にも言えないままの人は、相手に自分の過去の汚点を見せまいとして、武装態勢をとる。この状態では、信頼関係は築けない。相手も同じように自分で自分を受け入れられない過去を持っているならなおさらだ。

しかし、もしここで、**どちらかが先に「実は…」と自分の過去のトラウマを打ち明けたとしたら**どうだろうか。

「自分だけがネガティブな人」だと思っていたのに、相手も自分と同じような過去を持っていたと知ったら、こんなふうに反応する。

「**意外ですね**」

笑える失敗談を披露したときと同じ展開の始まりである。
ネガティブはチョコの味。**同じ経験をした人同士は、共感を覚え、優しい気持ちになる。**ネガティブな自分を恥ずかしがらず正直に言ったことで、「あなたもそうでしたか」と安心できる空気感が生まれる。

例えば、

・緊張
・照れ
・羞恥心
・怒り
・恐れ

どんなネガティブな感情でも構わない。自分のありのままの感情を表すことが大切だ。

「そんな話を聞かせてもらえるなんて思わなかった」

こう相手が思ってくれたら、心が動きだし、扉を開く準備が整った状態と言える。

そして、相手の心を動かすためには、**自分の自己開示も感情を伴っている必要がある。**

感情が伴う自己開示＝本音であり、そこにギャップがあればあるほど、その人の魅力になり、信頼感に繋がる。

「感情」を揺さぶるコミュニケーション術

人は大人になると、感情を出さなくなる。かつては欲しいものを欲しい！ と、その場で床に寝転んで駄々をこねた子どもも、いつしか理性を持って、感情をセーブするようになる。

特に初対面の相手に自分の感情を出すなど、そんな子どものようなことはできない、いや「してはいけない」と思っている。だから、最初はヨロイも身につけているし、感情が伴うような本音は見せないのである。

しかし、先ほどのように失敗談とネガティブ話で笑ったことにより、心が動き、扉が開き始める。すると、「この人にならら」自分の本音や感情を見せても良いのではないか？と感じ始める。そこで、次のように相手に言ってみよう。

「あなたにはこんなことありませんよね？」

先ほども紹介した「決めつけクエスチョン」の再登場である。**「ありますよね？」というのではなく、「ありませんよね？」という〝否定の表現〟で問うことによって、相手の感情を揺さぶることができる。**

前項でも書いたが、多くの人は「失敗談」もあれば「ネガティブ話」も持っている。しかし、このときの問い「あなたにはこんなことありませんよね？」のニュアンスには「あなたのような完璧な人には、こんな経験ありませんよね？」の意が含まれている。

ほとんどの人が、「完璧」だと思われることを嫌がる。完璧だと思われてしまうと、失敗したときに損だからだ。

だから慌てて否定してくるはず。

「そんなことありません。私もしょっちゅううっかりしています」
「そんなことありません。私もダメなこと、たくさんありました」

このように返してきてくれたらこちらのペース。第1章で紹介した「相槌」のテクニック、

「ええっ？　本当ですか！」（72P参照）

をやや大袈裟に言おう。

このリアクションによって、相手は「自分の返答があなたの感情を揺らした」と思う。

そして、相手は、

「本当ですよ！」

と意気揚々と答える。

そこですかさず、あなたは、

「どんなことがあるのですか？」（157P参照）

と質問を投げ、相手が話し始めたら、

「それでそれで？」（76P参照）

と煽り、盛り上げていく「合いの手」の相槌を入れる。

この**「それで」という言葉は、もっと先が聞きたい、という「興味」を表す言葉であり、相手は「自分の話に食いついてもらっている」と感じ、承認欲求が満たされる。**

さらに、

「そうなんですね！　それでどうしたんですか？」

こんなふうに前のめりに聞かれると、「たいしたことないんですが」と言いつつも続きを話したくなる。相手の感情を揺らしたはずが、いつの間にか自分の感情も揺らされている。

このように、自分の自己開示をきっかけに、相手の自己開示にも繋がった。あとはしっかり、頷き（うなず）ながら親身になって耳を傾け、相槌と質問を挟んでいけば、さらに2人は腹を割って話せる関係に発展する。

お互いに**感情を揺らすコミュニケーションをとることによって、次第に信頼感が高まっていく。**

もちろん誰しも自己防衛していて当たり前だと最初は大らかに受け止めよう。

様子見の段階でいきなり膝を突き合わせて話してくれるほど、コミュニケーションは簡単ではない。ここまで話してきた「聞く力」を発揮して、「肯定的な共感」の相槌を繰り返しながら会話を続けていけば良い。

人は、自分の話を丁寧に親身になって耳を傾けてくれる人に好感を持つ。自分に自信がない人は「私になんて興味ないでしょうから、お時間をとらせたくありません」などと言うが、これは不安な気持ちの裏返しである。

人は、「そうなのですね」と承認されるたびに安心する。
また、「わかります」と言われるたびに嬉しくなる。

このような「安心」も「嬉しさ」も感情の一つ。相手の感情を動かすことができると、「この人なら話してみても良いかも」から「ヨロイを脱いでまずは話の席に着いてみよう」という態度に繋がっていく。

「本音」を言って信頼されるコミュニケーション術

本音を確認する方法

信じられる「話し方」の最後は、「本音」について説明しよう。

ヨロイは脱いでくれたが、まだまだ相手は本音で話してくれていないかもしれない、という場合の対応についてお伝えする。

ヨロイを脱ぎ、話の席に着いてみようという流れになってきたとはいえ、この時点では、まだ本音で話しているとは限らない。人はそんなに単純ではない。

相手の立場を尊重し向き合いながら、相手の感情を揺らしていく。

かなり相手がリラックスし始めたところで、挑戦してみよう。

「信頼される人」の共通点の中に「本音を言ってくれる」や「裏表がない」があった。相

手は、すでに警戒心が薄れているはず。そして**自分自身に対して興味を抱いてくれている**
あなたに、「本当に私と同じ考え＝同じ感情かどうか」を確認したいと思い始めている。
そこで自分の本音をぶつけてみて欲しい。たとえ相手と違う意見だったとしても構わない。**ここで必要なのは、相手の反応、相手の感情をもっと引きだすためのやりとり**なのである。

自分の本音が相手の意見と「違う」とき（ケース①）と、自分の本音が相手の意見と「同じ」とき（ケース②）の2つである。

ケース① 自分の本音が相手の意見と「違う」とき

例えば、こんな会話をした経験、あなたにはないだろうか。

相手「山田さんって、いつも優しくて良い人よね。昨日もお土産をみんなに配ってくれて、すごく丁寧なのよね。ほんと良い人よねえ？」

さて、あなたが山田さんに対して同じく「良い人」と考え、好感を持っているのなら問題ないが、もしかしたら違う印象を抱いていることもあるかもしれない。わざわざ自分の本音を言う必要もないかもしれないが、このケースでは相手が同意を求めている。

「ほんと良い人よね？」と。

ここで頷いたら、あなたは後々、「あの人も同じ見解だった」と言われても仕方ない。

では、どう答えるのが良いのか。

そこで登場するのが接続詞の

「とはいっても」


である。

ここまでは自分の本音はさておき、まずはすべてを受け止めるつもりで「はい」「そうなんですね！」「そういうことでしたか！」など、相槌を打ちながら聴いてきた。丁寧に話を聴いたことによって相手の意見を引きだした。しかし、ときには自分の意見とは違う、と思うこともあるだろう。

そこで、本音を自ら話して、さらに関係性を深めて欲しい。

話を逆転させるたったひと言、接続詞の「とはいっても」を挟むことで、今までの会話の流れから新たな展開を作ることができる。

「あなたの意見はわかりました。**とはいっても、**私はこう思うのですけど」

このような使い方である。

では、先ほどの会話に戻ろう。

相手「山田さんって、いつも優しくて良い人よね。昨日もお土産をみんなに配ってくれて、すごく丁寧なのよね。ほんと良い人よねえ？」

自分「へえ、そうなのね。**とはいっても、**ちょっと気を遣いすぎている感じがして、私はかえって恐縮してしまうの」

このように**「とはいっても」は、今までの流れを「汲んだ上で」違う意見を挟むときに使う**と良い。

まずはきちんと相手の話を受け止めよう。相手の話をいちいち遮って「でも、でも」と言い返すようでは、信頼関係は築けないし、相手の本音を引きだすこともできない。いくら自分の本音が違うからといっても、それを押し付けてしまっては、ただ言い負かしたいだけの主張になるからだ。

相手の意見を聞いた上で、この「とはいっても」を挟み、違う意見、自分の本音を伝えてみよう。

当然、相手は共感してもらえると思ったのに違う意見を言われ、「え？」と思うし、一瞬たじろぐかもしれない。

さぁここで、相手の「声」にどのような感情の反応があるかを見極めて欲しい。いよいよ相手の本音が見えてくる瞬間だ。

▼相手の反応

①「え？」：顔、声ともに表情が曇る場合

聞き直すような疑問系の「え？」であり、顔の表情はこわばる。声の表情は曇り、やや小さめの声となる。

◎自分の意見が相手の意見と違った場合

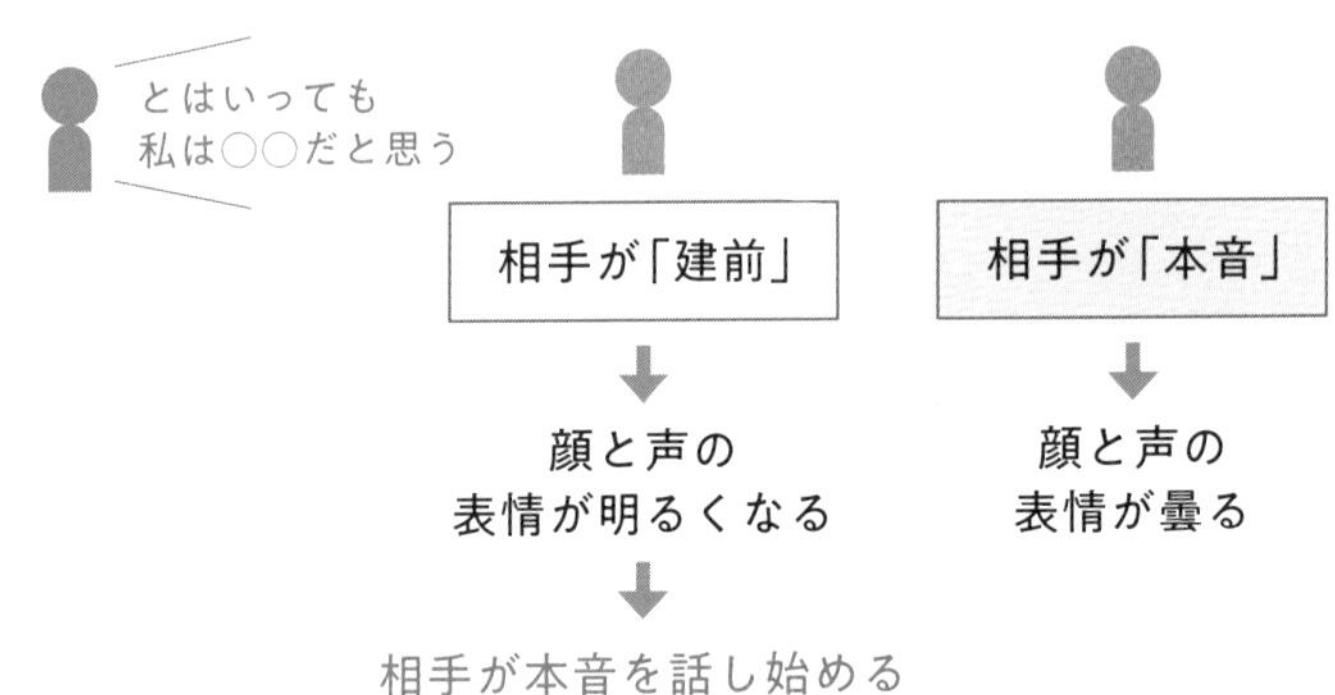

このような「え？」の反応の場合、相手は本音で話していたと考えられる。山田さんのことを心から「良い人」と思っている。

②「え！」：顔と声の表情が明るくなる場合

驚きを持った「え」であり、顔の表情がパッと明るくなる。声も一段高く、大きめになる。

このような「え！」の反応の場合、相手も本音では、山田さんに対して「ちょっと気を遣ってしまう」「良い人とは思うけれど…」など、含みのある感情を抱いていたと考えられる。

そこで、あなたには安心して本音を言ってもいいのかもしれないと思い、本心を吐露し始める。

このように、**「え」という、たったひと言の声**

の表情にも本音が埋もれてしまう（95P参照）。

ぜひ聞き分けて、相手の本音を引きだして欲しい。

ケース② 自分の本音が相手の意見と「同じ」とき

自分の本音が相手の意見と同じならそれで良い、と思いがちだが、こちらも先ほどのケースの「相手の反応①（表情が曇る）」のようなこともあるので注意が必要だ。

では、同じ会話で見てみよう。

相手「山田さんって、いつも優しくて良い人よね。昨日もお土産をみんなに配ってくれて、すごく丁寧なのよね。ほんと良い人よねえ？」

これに対して、あなたも大賛成だとする。

自分「そうなのよ。ほんと良い人よね！」

ここで相手の本音はどうなのかを見極めたい。

▼相手の反応

❶「…」：顔、声ともに表情が曇る場合

一瞬の間が生まれた。自分の本音は違うのに、相手に同意されたことで戸惑うからだ。本音では山田さんのことをそこまで「良い人」とは思っていないことがわかる。

❷「そうそう！」「だよね」：顔と声の表情が明るくなる場合

すぐさま同意の相槌を打ってきたときは、心から山田さんのことを「良い人」だと思っている。

❶のように、「…」という言葉にならない言葉、こういう間を「言葉に詰まる」と言う。もしくは「え」や、場合によっては「あ」と小さな声で驚いたような反応があるときは、相手が違う意見を持っているときだ。

◎自分の本音が相手の意見と同じ場合

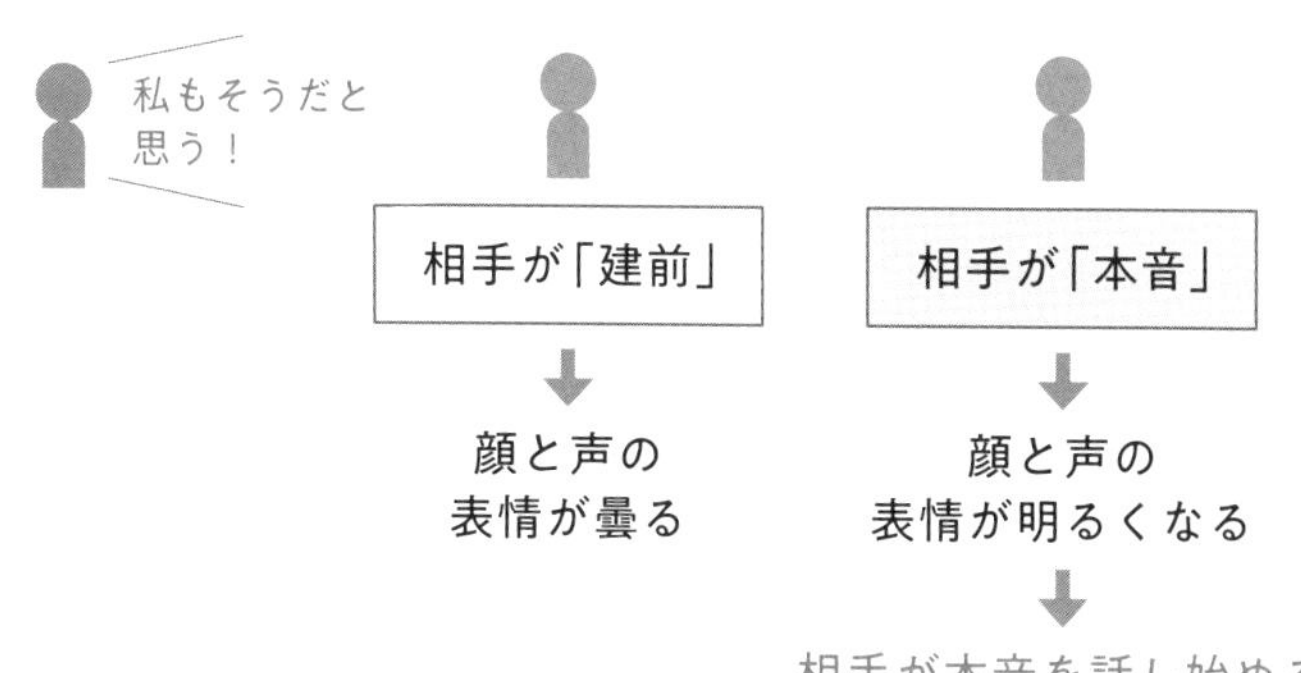

167ページの「感情を揺さぶるコミュニケーション術」に書いた**丁寧に聴く姿勢と相槌、質問によって、相手の感情を揺さぶることで、信頼感を生み、本音が見えてくる。**

ただ、ケース①とケース②、どちらにしても、相手が本音かどうかがわからないこともある。

その場合、大切なのは、**相手の言うことすべてを真に受けすぎない**こと。相手の本音はどこに隠されているか？

もしかしたらはじめから本音を言っているかもしれない。

でも、もしかしたら別のところにあるかもしれない。

どれだけ信頼できる人だとしても、ときに相手

は本音を隠すことがある。

しかし、ここでも忘れないで欲しいのは、相手の本音がどうであれ、それらを受け止める心の余裕は持っておきたいということだ。たとえ自分が相手とは違う意見だったとしても、自分の意見を主張しすぎたり、言い切ったりしない。

「とはいっても、私はこういうふうに思うときもあるんだよね」

と、ライトに自分の本音をぶつけてみると良い。そうすると、相手の口からポロリと本音が出てくることもある。

まずは自分がいつも本音で話すこと。そして、**本音を互いに言い合えるようになれば、「この人なら」と信頼できる関係に成長していく。**

第3章 Point

- 「失敗はネタ」という価値観。笑ってもらえると心が軽くなる
- 自己開示することでギャップが生まれ、相手に親近感を抱かせる
- 初対面。心の武装、ヨロイを着ている状態から、いかに早く武装解除できるかが鍵。自分からヨロイを脱ぐ
- 笑うことで緊張感がほぐれ、場を和やかにする。「笑う」「笑わせる」というコミュニケーションほど、人と人の距離を縮めるものはない
- 「決めつけクエスチョン」は自分を下げて、相手を上げるときに有効
- 失敗談やネガティブな自分を晒(さら)すことで相手は安心する
- 「とはいっても」は、今までの流れを「汲んだ上で」違う意見を挟むときに使う言葉

第4章

この人なら！と ついていきたくなる 「説得力」

「信念」と「声の芯」

「信頼」される人に共通する特徴の一つに「説得力がある」がある。

「説得力がある人」とはどんな人だろうか。

まずは、「感情」に左右されない【信念】を持っている人だと私は考えている。

【信念】には、「根拠」と「裏づけ」があるはずで、長年の経験や思考、知識があってこそ、説得に値する「発言」や「行動」ができる。

特に『経験』があるかどうかは、説得力に大きく影響する。

失敗も成功も、学びも挫折も、生きてきた年数にかかわらず、**どれだけ「考え」どれだけ「行動」した『経験』があるのかによって「説得力」が決まる。**経験は「無形の財産」だ。そして、**経験に基づく【信念】を持っている人こそ「信頼」される。**

ただ、「信念」があるだけでは、まだ「説得力」があるとは言えない。

◎「説得力」が増せば「信頼」される

その **【「信念」を言語化】** し、具体的に説明できる、あるいは **【「エビデンス」や「理屈」を示して】** 相手が納得するような説明ができなければいけない。

それができてはじめて「説得力がある人」となる。

「信念はある」。しかし、相手が納得できるような具体的な説明がなされないままの話、例えば、抽象的な説明であったり、感情に由来するものであったりすると、説得力に欠ける。

ということは、「経験」と「知識」に基づく「信念」があり、それを「具体的に言語化」できれば「説得力がある人」になるのだろうか。

残念ながら、せっかくすべてを持ち合わせていても【声】と【話し方】が伴っていないと、そこに信憑性を感じないことがある。かなり悲しい現実だ。

逆に言うと、たいした「経験」も「信念」もなかったとしても、【声】と【話し方】を武器にできれば、それなりに「説得力がある人」になれるかもしれない。

ただ、先にお伝えしておくが、後者はボロが出る。第1章でお伝えしたとおり、声には「人柄」が、話し方には「人間性」が現れるからだ。

「信念」があり説得力がある人は「発言」にも「行動」にもブレがない。さらに、ブレがない人は「声」にもブレがない。そう、【声の芯】があるのだ。

「説得力」が高まる2つのポイント

「声」と「話し方」だけで、いかに説得力を持たせられるか、という視点から、ポイントをお伝えしよう。大きく2つのポイントがある。

①声の芯
②話し方の文末

説得力は【声の芯】と【文末】で決まる。

まず、**【声の芯】**であるが、これは第2章で触れた「**腹式発声**ができているかどうか」が肝となる。加えて、場面や話の内容に応じた**【声のトーン】**を使い分けることができること。

「声のトーン」については第1章で詳しく説明したが、基本的には、説得力を感じさせる声というのは高いトーンよりも低いトーンのほうがオススメである。

こう言われると、自身の声質が高い人は「どうすればいいの？」と思ってしまうかもしれないが、**声質の高低ということではない**ので安心して欲しい。

第2章でお伝えしたように、人それぞれ声の特性に「高め」「低め」はあるものの、**その人の持っている音域の中で、「低い部分」の音をしっかり活用する**ことが大事であるという意味だ。

話の内容に沿って、適度に低い音が出てくることが大切なのであって、たとえ、声のトーンが低かったとしても、ただ全体的に**低いだけでは説得力は生まれない。その低いトーンの中に、高い音と低い音の両方の要素があってこそ、説得力が生まれる。**

私の声は、もともと低いトーン、いわゆる「アルトボイス」である。

このアルトボイスは有効な武器で、実は私としては全然たいした話をしていないにもかかわらず、聞いている人にとっては「すごく良いことを言ってもらった」かのような気になることがあるらしい。

そのため、私は人から信頼されやすい上、まさか私が極度のうっかり者であることも初対面の人にはバレない。頼りがいのある人、しっかりしていて、間違った行動はしないとさえ思っている人がいるらしい。

それはすべて、私の「芯のある声」と「声のトーン」のおかげであり、さらには、後ほど説明する「**文末の話し方**」（208P参照）によるものだと言える。

エセ占い師はこうして誕生する!?

私は飲み会の席で、ときどきこんなおふざけをする。

「あなたの肩にご先祖様が乗っているよ」

と言う。すると、みなそれを信じて、

「え！！！　誰ですか」

と目を輝かす。いや、ごめん。わからない。冗談なのである。

そこで私は間を溜めながら言う。

「うん…そうね…」

低いトーンの声で言い、考えるふりをしてから

「お母さん方の…違うかなぁ、うーん、どうかなぁ」

ここまで言うと、相手が勝手に
「もしかして、おばあちゃんかも！」

と声高に言うので、私は心の中でなるほど、と思う。

本人が「おばあちゃん」だと言っているところをみると、どうやら母方のおばあ様はすでに亡くなっている方だとわかる。そこで、

「おばあちゃんね、そうかも。すごく心配しているよ」

と、私は**得意の腹式発声で、腹に力を入れながら言う**。

その**ブレのない、「芯のある声」に説得力**を感じた相手は、

「やっぱり…」

と、頷く。そして、

「すごいですね。見えるんですね」

いや、見えない。あなたが勝手に教えてくれただけだ。そこで私は種明かしをする。

「冗談よ。今私が言ったのは、あなたが言ってくれたことを反復しただけなのよ」

すると、相手は目を丸くして、

「確かに！」

と驚く。

私はただ彼女の言った話を、高めのトーンと低めのトーンの声をうまく使い分けながらゆっくり諭すように話しただけだ。


きっと世の中のエセ占い師はこのような話し方で成り立っているのではなかろうかと私は思う。

ただ、このような私のおふざけ占いは、周りから大いに喜ばれており、嘘でもいいから見て欲しいと言われることもある。

それもこれも、すべては私のこの「声」と「話し方」の技術によるものである。ただし、本来は「説得力」のある話し方で人を騙してはいけないので、念のため付け加えておく。

ついていってはいけない女

もう一つエピソードをご紹介しよう。

友人たち数人と旅行に行ったときのことである。道がわからなくなり、立ち止まった。

しばらく地図と睨めっこしていたが、私はじっとしているのがつまらなかったので、よくわからないままに「こっちじゃない？」と言って歩きだした。

するとみなが「じゃあ」とついてきた。

実は、心の中では「知らんけど」と私は思っていたが、誰も反対せずについてくるので、私の思ったテキトーな方向へ進んでいくこととなった。


それから10分ほど歩いた頃、私はおもむろに立ち止まった。


「これ違うかも？」

「えーマジで？　まるで知ってるみたいに自信満々の言い方だったじゃない！」

「あははは。知らないわよ。こっちかなと思っただけで。ごめんね。じゃあ戻ろう」

結局、戻る羽目になり、申し訳ないことをした。特に反省はしていないが。

それにしても、みながなぜ、私が言うと「そうかも」と思ってしまうのか。

「自信満々の言い方」

これこそ、**私の「芯のある声」「声のトーン」にすっかりやられてしまっている**のである。

このように「声」と「話し方」、ただそれだけで人は信じてしまう。

もちろん日頃からの付き合いがあるからこそ、という面もあるが、先に紹介した占いごっこに関しては、初対面の相手にも通用するので、やはり「声」と「話し方」によると言えるだろう。

ということは、**これにエビデンスや知識、理屈がしっかり伴っていたら、最強の「説得力」が生まれる**はずだ。

ちなみに、旅の一件のあと、友人たちからは今でもネタにされ笑われ続けている。似たような場面があると、「今回は騙されないわ」などと言われ、友人たちとの間では、遊び半分に、自分のスキルを使ってやりとりを楽しんでいる。

一方、仕事現場となると話は別である。**自分のスキルをフル活用し、理屈と知識すべて**

を盛り込んだ経験から、私は意見を言う。

例えば、ナレーションを収録するとき、原稿はライターやディレクターが書くのだが、時に文章に「引っかかり（違和感）」を感じることがある。引っかかりがある＝伝わりにくい文章なので、そのときにはディレクターに対して、

「この文章はここがこのようにわかりにくいので、主語の位置を少し変えたほうが良いのではないでしょうか。例えばこのようにするとわかりやすくなると思います」

と提案する。その際、知識を持って正しい日本語をお伝えするだけでなく、私が「**説得力」のある話し方をすることによって、「さすがですね！」と喜んで受け入れてもらえる。**

私はナレーターとして、それなりにプライドを持って仕事をしているので、変な日本語の文章を読みたくないと、常日頃から思っている。だから、こういう場面では必ず自分の意見をちゃんと伝えることにしている。

新人の頃は「話し方」の技術がないまま意見を言ったため、さぞかし生意気に聞こえたことだろうと思う。それでも大らかに受け止めてもらえたのは、ラッキーだった。

今は昔に比べると意見を言うときの「話し方」はかなり優しくなったと思う。そして、

「信頼される声と話し方」プラス「相手の気持ちを思いやって話す」ことを心がけることで、より「説得力」が増していると感じる。

間違いをただ指摘するだけではなくて、

「今、読んでいてちょっと違和感があったんですよね。なんでかなぁ？」

このように、少し相手に考えてもらえる時間を作る。それから、

「あ、そうか。ここかなぁ？」

答えをすぐに言うのではなく、さも、今、気が付いたかのように、

「ここがちょっと違和感があるんですね。こっちにしたらいかがですか？」

と言うと、ほとんどのケースで気持ち良くそれを受け入れてもらえる。

私はテレビ局の生放送の番組でバタバタとナレーションの収録をすることがよくあるのだが、時間がない中でもそのようなやりとりをして、正しい文章をお伝えするようにしている。

ディレクターは、私の提案に必ず耳を傾け、一緒に考え、少しでも良い原稿になるように工夫してくれる。お互い、テレビマンとしての誇りがあるからだと思う。

これからもナレーターの責任として、日本語の文章を正しく伝えていきたいと思っている。

このように説得力のある話し方のおかげで私は信頼されていると自負している。
ではこれは、下間都代子だからできるのだろうか？　そんなことはない。
ここから、具体的に理屈と技術を使ってお伝えしていく。

「芯のある声」の出し方

腹式発声の基本

第2章で触れたように、声を出すとき、多くの人が首や喉（のど）、肩、そのほかにも腕、胸、背中、とにかくあちらこちらに力みがあり、無理をして声を出している。

一方、**「腹式発声」は、上半身に無駄な力が入っておらず、いわゆる「丹田（たんでん）」、つまりおへその辺りに重心を置いて声を出している状態である。**

腹式発声のやり方については、本書では簡単な方法にとどめておく。意識するだけでも変わるので次ページの図を参考にやってみよう。

①肩を上下に動かすことなく、深く長い呼吸をする
②肩を上下に動かすことなく、自分の「耳で聴いたとき」に、やや大きいと感じる「3のボリューム」（118P参照）で声を出す

かなりざっくりした説明だが、**この「耳で聴く」意識はかなり有効だ。上半身は緩めていても、お腹に力を入れて声を出すことで、かなり腹式発声に近くなる。**

鼻腔（びくう）共鳴の罠

腹式発声ができない人は、無理をして声を出しているせいで、長く話すうちに喉が痛くなったり掠（かす）れたりするので、なるべく大きな声を出さないようにセーブしてしまう。声が

◎腹式呼吸と腹式発声のやり方

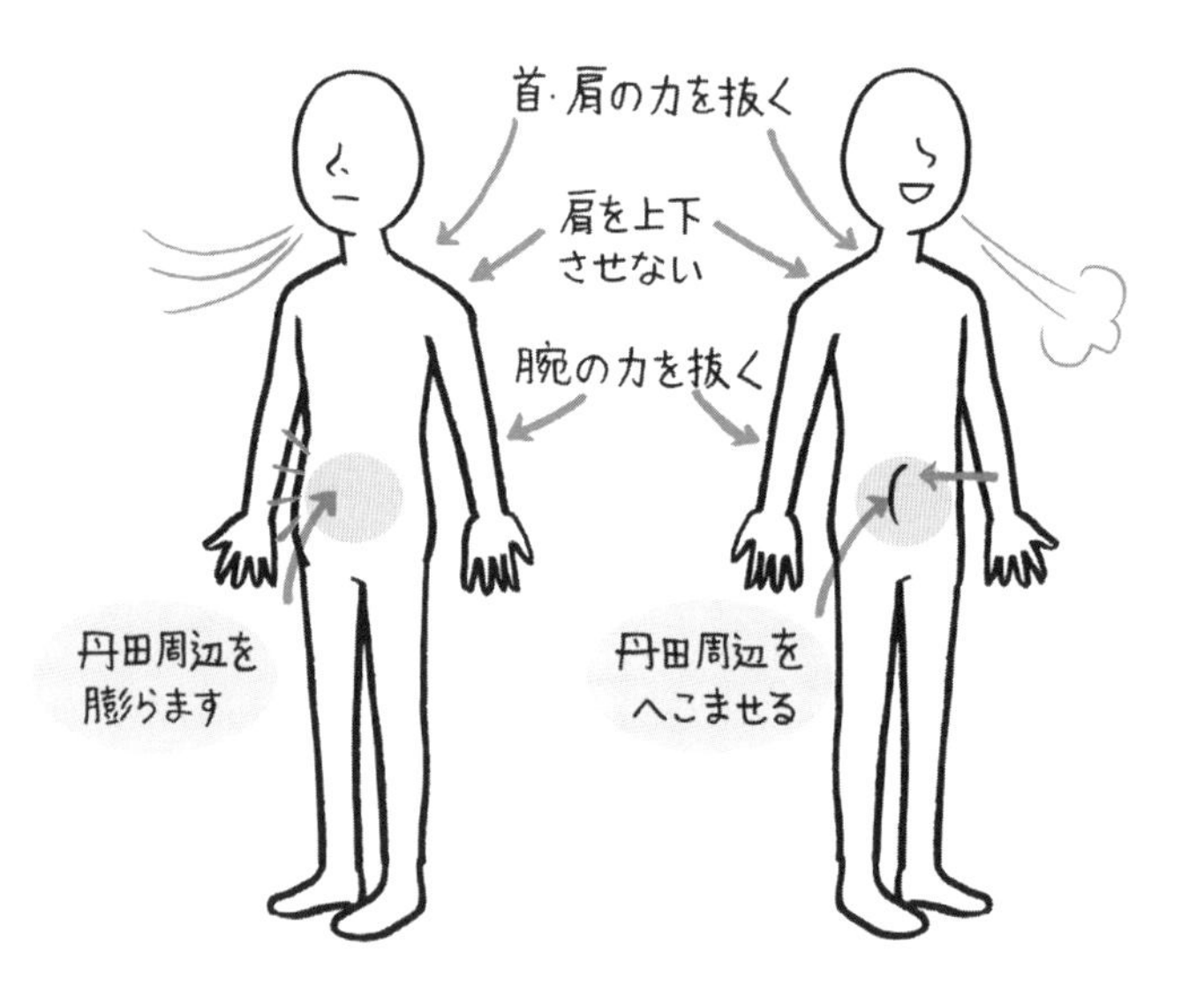

腹式呼吸と腹式発声

① 息を吐ききって、お腹をへこます
② 肩を動かさないように注意し、鼻から息を吸い、お腹を膨らます
③ 息を２秒止める
④ 息または声を、なるべく長く出しきる

注意：鏡の前で肩が動いていないかチェックしながらやろう

小さいと通りが悪くなるため、少しでも響きを持たせようとするのだが、ここで、無意識にやってしまっているのが、

「鼻腔共鳴」（鼻を使って響かせること）

という方法だ。

腹式発声ができている人は、無駄な力が入っていないため、「全体共鳴」で身体中を使って共鳴させられるが、喉を使って声を出している人は、力んでいるのでそれができない。

そこで、行き着くのが「鼻腔共鳴」である。

この鼻腔共鳴は何も悪いわけではない。シンガーはこの鼻腔共鳴を使って、歌声を聴衆に届けている。しかし、鼻腔共鳴だけに頼っているシンガーは、正直なところ、聴衆の心にまで響く歌声ではないと私は感じている。

シンガーソングライターであり、ボイストレーナーの尾飛良幸さんは自身のブログの中で、

◎話し方における「全体共鳴」と「鼻腔共鳴」

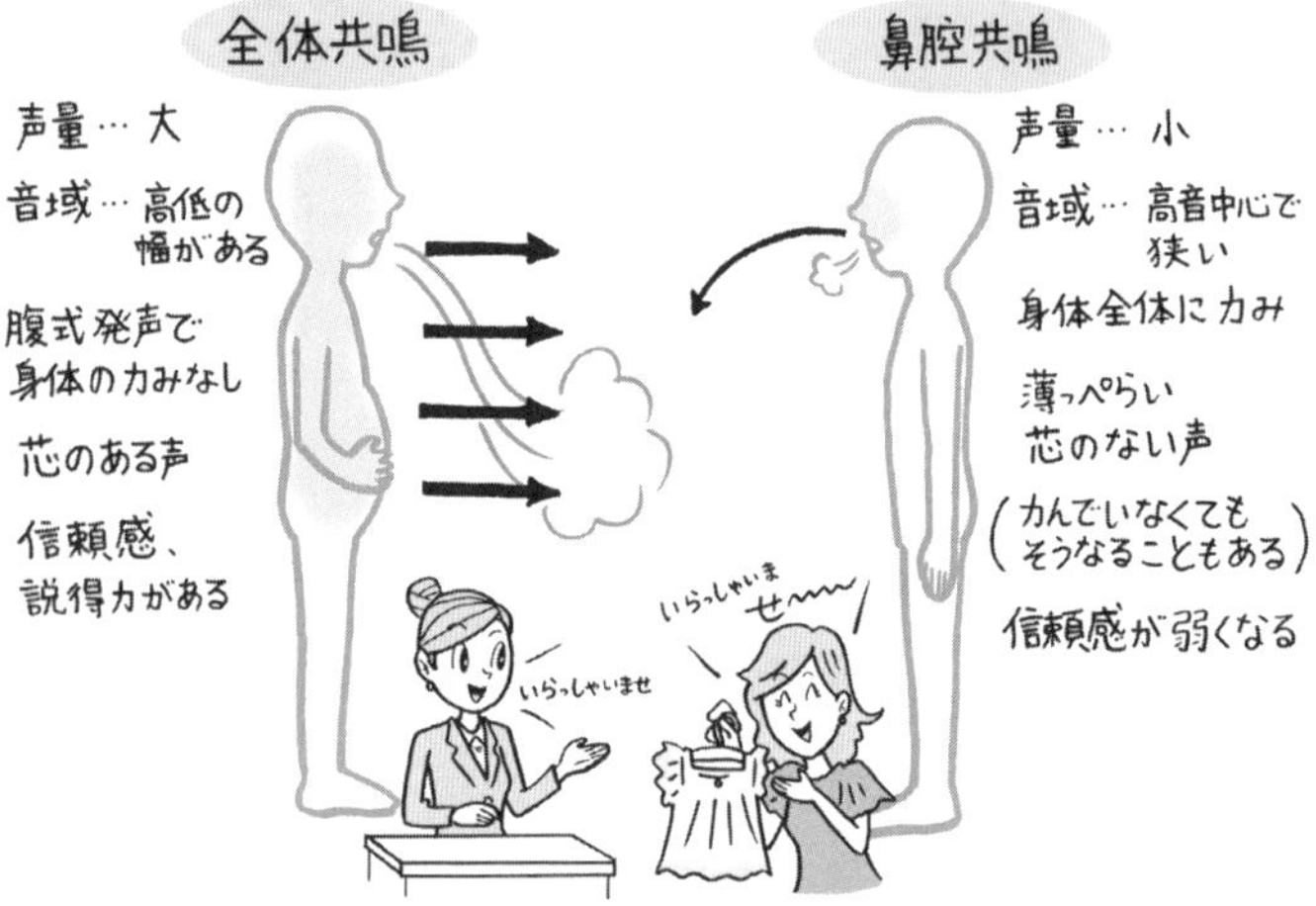

「体が共鳴しない状態で歌うシンガーがステージに上がった場合、バンドの響きや迫力、音量に勝つことができない」

と解説している。

これは歌うときの話なのだが、普通に話すときの声も同じで、**声を鼻腔共鳴で出していると、いわゆる「鼻にかかった声」となり、使える声のトーンも高音が多くなる。**

「信頼」されるトーンは、高い声と低い声の幅がある。とすでに述べた。

ということは、この**鼻腔共鳴だけで声**

を出すと、低音が出にくいため、「薄っぺらい」声の抑揚の羅列となり、結果的に「信頼感」は得られなくなる。

極端な例となるが、ブティックの店員の呼び込みの声を思いだして欲しい。

「いらっしゃいませ〜」

最後の部分の「せ〜」が高く、歌うような言い方が多い。そして、鼻にかかった声をイメージするのではないだろうか。

大きな声を出すかわりに、鼻腔共鳴を使っている。そして、恐ろしいことに、その声の出し方は呼び込みのとき以外でもその人の癖となり、常に「鼻にかかった声」となってしまう。

さて、ここで問いたい。

鼻にかかった声の人に、あなたは「信頼感」を覚えるだろうか。

答えはノーだと思う。

少しでも喉に負担をかけずに声を出したいがゆえに、知らず知らずのうちにこのような癖がついてしまうのだが、これは女性に限ったことではない。

長時間話す仕事の男性、特にマイクを使って話すことが多い仕事は、小さな声でも構わないため、腹式発声にならないことが多い。マイクに頼って声を出している状態だ。

喉が痛くならないように鼻腔共鳴させて省エネしているつもりだろうが、実は小さい声のほうが喉をすぼめている分、余計に喉に負担がかかっている。**腹式発声をするほうが、よほど楽**なのをご存知ないのが残念だ。

腹式発声によって体全体が共鳴する「全体共鳴」だと、マイクの乗りが良くなり声に響きが出る上、信頼感のある声となる。これを「芯のある声」と言う。

腹式発声で「芯」を作る

ここで、もう一つの共鳴、「**胸共鳴**」についても簡単に説明しておこう。

鼻腔共鳴は「高い声」が多くなると書いたが、胸共鳴は逆に「低い声」が主となる。

そのため、男性のほうが胸で共鳴させやすい。

声の印象としては柔らかく、優しい雰囲気がある。しかし、一方で、響かせすぎると、「気どっている」「陶酔している」ように聞こえてしまう。関西弁で言うところの「ええ声」がこれだ。気どりがあるということは「本音」で話していない証拠。これでは信頼感は得られない。また、第2章で私は、信頼感のある声は「3のボリューム」がちょうど良いと言ったが、**胸共鳴では、大きく力強い声が出せない。**

胸共鳴は声のトーンが低い分、鼻腔共鳴よりはましだが、**「この人なら」と信頼される声になるかというと、鼻腔共鳴や胸共鳴では足りない。**

やはり、**腹式発声で、全体共鳴させてこそ、意思の強さや思いの熱さを語れる「芯のある声」が出せる。**繰り返しになるが「信頼」され、「説得力」を出すためには、声に「芯」が必要なのだ。

あなたはどこを共鳴させて声を出しているだろうか？　特に鼻腔共鳴の人はぜひ改善し

て欲しい。過度の鼻腔共鳴になってしまっていないかどうかのチェックと、簡単な改善方法をご紹介しよう。

◎ 鼻腔共鳴のチェック

▼鼻腔共鳴のチェック

〈手のひらを口の前にあてて「あー」「おー」と声を出す〉

その際、「あー」「おー」どちらも息が手のひらにあたっていれば鼻腔共鳴ではない（上の図の○）が、もしも両方、またはどちらかがあたらないとしたら、あなたは今、かなり鼻にかかった声になっている可能性が高い。鼻腔共鳴の疑いがあるので、次の練習をして、鼻にかけずに声を出す癖をつけて欲しい。

◎全体共鳴の練習

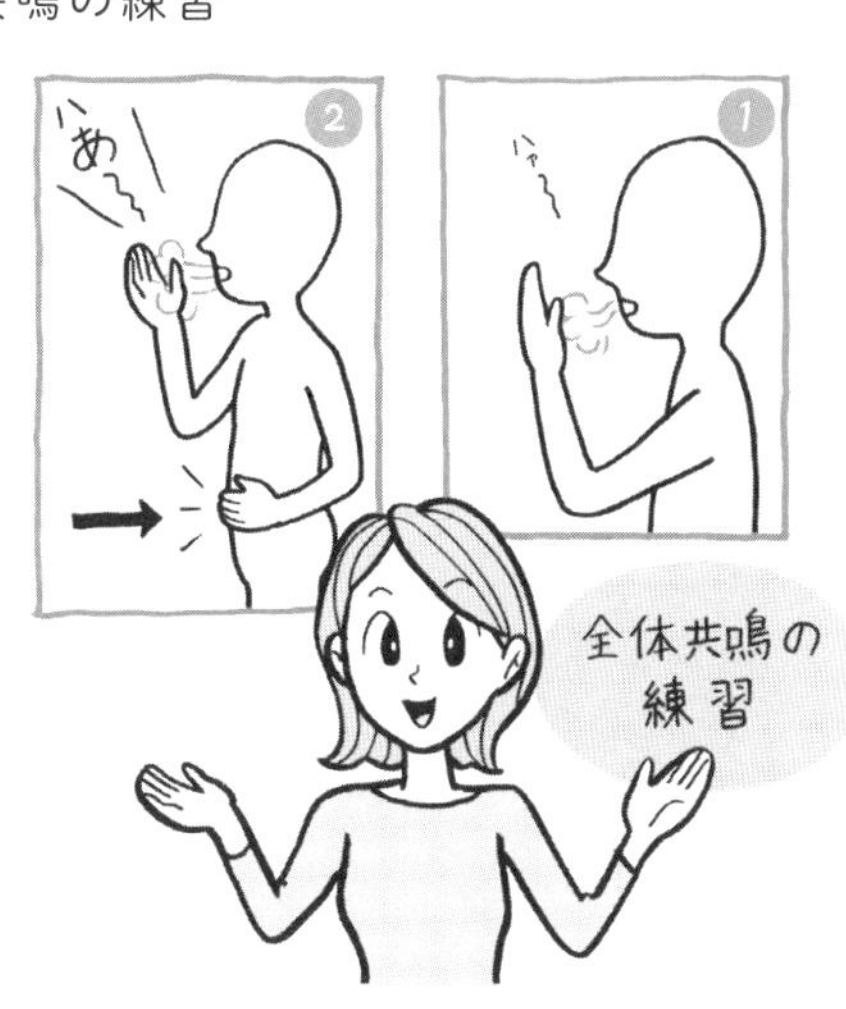

▼鼻腔共鳴を改善する簡単な方法（全体共鳴の練習）

❶寒いときに手のひらを温めるように、手のひらを口にあてて、声を出さずに「ハァ〜」と息を吹きかける

❷それができたら今度は「ハァ〜」と息を吹きかけながら、徐々に声を出す。「ハあ〜」の母音「あ」のところでお腹にグッと力を入れると声になる

声には共鳴が必要だが、すべてが鼻腔共鳴にならないように、お腹から声を出し全体共鳴させる意識を日頃から持って欲しい。

「説得力」は文末で決まる！

【文末】の話し方のポイントは大きく2つある。

①文末まで声を出す
②文末を下げる

このポイントを押さえるだけで一気に「信頼感」が増し「説得力」が高まるだろう。
それでは一つずつ解説していく。

①文末まで声を出す

日本語の文章は基本的に主語と述語でできている。そして、主語が最初に、述語は最後にくる。これが英語の文法との大きな違いである。

この「述語」となる文章の最後、文末までを意識して、声に出しているだろうか。

自分に自信がない人の話し方というのは、声が弱々しいだけでなく、特に文章の最後になるにつれて消え入るように声が小さくなる傾向がある。

自信がないため、話の途中から相手の顔色を窺(うかが)ってしまう。それで、声を出すことに意識が向かなくなり、最後には声が消えていく。

本人は声にしているつもりなのだが、これは第2章で説明した「骨導音」(「107P参照)を聞いているだけであり、実際には声は相手の耳に届いていない。

A **自信があるから声が出る**

とも言えるが

B **声を出すことで自信があるように聞こえる**

とも言える。

この本は「声」と「話し方」で信頼されるということを目的としているので、私がアドバイスできるのはＢの方法、**「声を出す」ことで「自信があるように聞こえる」**である。あなたに「自信を持ってもらう」ノウハウは、ほかの本に任せたい。

では、文末まで声を出すにはどうすれば良いのか。「自信がないから無理」ではなく、ぜひ一緒にやってみよう。

- 自信がない
- 声が小さい
- 文末の声が消える
- 目を見て話せない

これら４つは「信頼感」がなく「説得力」のない人の話し方の特徴である。繰り返しになるが、本書は「自信がない」という人が自信をつけるための本ではないので、1つ目の「自信がない」は横に置いておく。

また、あとの3つのうち、「声が小さい」は、これは腹式発声が必要になるため、一朝一夕には改善できない。そこで、即効性があるあとの2つに的を絞ることにする。

・声が小さくても文末だけ消えなければOK
・目を見て話せなくても、顔だけ上げればOK

これなら、かなりハードルが下がったのではないだろうか。さらに、この2つは同時に改善できる。

次のことを心がければ良い。

・文末だけ、顔を上げて声を出して最後まで言い切ればOK

そう。文末以外、ちょっと下を向いていようが、モジモジしていようが、**最後だけ顔を上げて、声を出して話せば、あなたの「信頼感」は増し、「説得力」も高まる。**

では、特に話し方に「説得力」が必要なプレゼンテーションの場面を例に見てみよう。

▼企業CM制作のプレゼンテーションのスピーチ原稿

今回、御社の新商品である「声が良くなるマスク」について、テレビCMで広くPRする戦略を**ご提案します**。

「声が良くなりたい」という人は、40代以上の男女に**多く見られます**。

近年は、YouTubeなどのネットでのPRが増えていますが、それはテレビを見ない若年層であり、40代以上については今でもテレビを使って情報を得る割合のほうが**多いのです**。

そこで、弊社は、ターゲットにダイレクトに訴求できるテレビCMを使いPRすることを**ご提案します**。

こちらは御社の実験データの映像ですが、これは視聴者にインパクトを与えること**間違いなしです**。この、喉が乾燥しているときの声の波形と、声が良くなるマスクを装着し、潤ったときの声の波形を比較するデータを見れば、自分の声の問題がここにある！　と実感し、私自身、興味が**高まりました**。

しかも寝るときだけ装着すれば、朝の声が変わる！　ここを強調することでまずは試してみよう！　と購買に**繋がるのです**。

こんな商品があったら最高だが架空の話なのでご了承いただきたい。

では、この文章を使って練習してみる。

鏡を用意してやってみよう。

鏡を自分の前に置いて、顔が映る状態にする。

まずは先ほどのプレゼン原稿を声に出して読んでみよう。声のボリュームは「1」（110P参照）で構わない。もし出せそうなら「3」のボリューム（118P参照）にしてみよう。

ひととおり最後まで読み切ったら、早速、文末の話し方の練習である。

太字になっている部分だけを、鏡に向かって自分の目を見ながら声に出して言ってみよう。

「ご提案します」
「多く見られます」
「多いのです」
「ご提案します」
「間違いなしです」
「高まりました」
「繋がるのです」

ポイントは、「ます」「です」「ました」の最後まで、鏡の中の自分を見つめて言うこと。それができたら、先ほどのプレゼン原稿をもう一度声に出して読んでみよう。

今回は、**最後の太字のところだけ、顔を上げて鏡の中の自分の目を見て言い切ることが重要**だ。次の文章に気持ちがいってしまうと、文末の最後まで自分の目を見ることができなくなってしまうので、焦(あせ)らずに、最後まで目を見て言い切ってから、原稿の次の部分を探してまた読み始めれば良い。

実は、**スピーチはこれを繰り返すだけで充分うまく聞こえる。**

最初から最後まで、暗唱して言おうと必死に覚える人がいるが、それよりも、原稿を持って、文末だけ顔を上げて、最後まで声を出す。ただこれだけで、聞き手には言いたいことが伝わり、説得力が増す。それくらい、文末まで声を出して言い切ることが重要だ。

顔を上げるタイミングは、文末の少し手前のセンテンスから。

慣れてきたら、原稿どおりの「です」「ます」ではなく、話し言葉の「多く見られたんです」「ご提案しますね」などに変化させて、リラックスした話し方にするのも良い。

これができるだけで、あなたはスピーチ上手に見られる。

これで、あなたは文末まで声を出すことができるようになっただろう。ただし、声のトーンによっては、まだ「説得力」があるとは言えない。

ここで**「文末の話し方」のもう一つのポイント**を解説する。

②文末を下げる

日本語の文章を話すとき、声の抑揚に、法則があることをご存知だろうか。

日本語は、喋り出しが高く、文末にいくにしたがって低くなっていく、という抑揚の法則がある。

例えば、

「私の仕事はフリーアナウンサーで、今、本を執筆しています」


これを声に出して話したとき、「私の」の音が高く、「います」が低くなる。「います」のほうが「私」より、音が高くはならない。

もしも「います」を高くしようとすると、「執筆して」「います！」というように分けた上、あえて「います」を高く出さなければならない。それはいかにも不自然である。

ところが、この自然な声の抑揚にあらがって、文末が下がらない話し方の人がいる。

これこそ、「説得力に欠ける」話し方の正体である。

第2章で、高い音と低い音の差を「ドレミファソ」で表現した。**高い音2音だけ**しか使わないのも、**低い音2音しか**使わないのも信頼感を得にくい。

そして、この章のテーマである**「説得力」を出すためには、文章の終わりをしっかり低い音【ド】までしっかり下げることが重要だ。**

この章の最初で、ブティックの店員の「いらっしゃいませ〜〜」の言い方を例に出した。文末の「ませ」が高いまま、もしくは言葉のはじめ「い」よりも最後の言葉「せ」のほうが高いこともあり、いかにも口先だけの言い方に聞こえてしまう。

例えば、ハイブランドの店員や、高級ホテルのフロントマンが「いらっしゃいませ」と迎えるとき、「ませ」を上げたり伸ばしたりするだろうか。

必ず「ませ」を低い音に着地させている。だからこそ、信頼感や高級感が出てくる。

「おはようございます」など、元気よく相手に言うときは、文末が高くなっても良いが、この章でお伝えしている**「説得力」を必要とする場面では、ぜひ、文末は低い音にすることを意識して欲しい。**

たとえるなら、体操競技で大技のあと、フィニッシュを決めるように、文末の声のトーンもきっちりと「着地」させていただきたい。

では、もう一度、先ほどのプレゼン原稿を使って、文末の着地の仕方が、いかに大切かをＮＧ例とＯＫ例の比較で見てみよう。

▼ＮＧ例：文末が高い

まずは、声に出して読んでみよう。ここでは、あえて文末を高く上げてみる。

太字の部分「ご提案します」や、「多く見られます」「多いのです」「高まりました」など、文末の音を高くする。

よくわからない場合は、すべて「ご提案しマース」「多く見られマース」「多いのデース」「高まりマシター」というふうに伸ばしてみると、高くなりやすい。二次元コードを読み取って、ＮＧ例を聞いてみて欲しい。

どうだろうか。

NG例OK例を聞いてみよう

文末が高いままだと、まったく心がこもっていないように聞こえ、頼りなく、リアリティを感じないのではないだろうか。いわゆる棒読みである。

さらに「マース」「マシター」と伸ばした際には「説得力」どころか、「薄っぺらい」「おバカ」な悪印象しか残らず、プレゼンの失敗は目に見えている。

▼OK例：文末が低い

今度は、文末をしっかり着地させるように、下げて言い切る練習をしよう。

「です」「ます」「ました」は、日本語の文末によく使われる言葉だ。**この文末を下げて着地させることによって、安心感が出る。**

よくわからない場合は、一音一音区切って声を出してみる。二次元コードを読み取って、OK例を聞いてみて欲しい。

文中の↙★（★印）の位置を参考に練習してみよう。

①ご提案しま↙★す……ご・て・い・あ・ん・し・ま・↙★す

②多く↙★見られます…お・お・く・↙★み・ら・れ・ま・す

③多↙★いのです……お・お・↙★い・の・で・す
④高まりま↙★した……た・か・ま・り・ま・↙★し・た

文末の着地が決まると、話す内容に説得力が出てくる。相手は、話に引き込まれ、思わず「うん」と頷く。

腹式発声で、低い声を使って念を押すように相手に投げかければ良い。

その際、話し方すべてが低音一辺倒ではいけない。何度も言うが、抑揚の高低差があってこそ、人は感情を揺さぶられる。

・高い声があっての低い声。低い声があっての高い声。どちらも効果がある
・高い声の明るさの中に時折出る低い声に、説得力を感じる
・低い声の落ち着きの中に時折出る高い声に、軽やかさを感じる

どちらにしても**声の抑揚の落差があればあるほど感情表現が豊かとなり、相手の心を惹き付けやすくなる。**

この章のテーマ「説得力」を高めるには、特に**高い声の中に低い声の要素を織り交ぜる**ことが重要となる。

高い声ばかり、低い声ばかり、というふうに単調では説得力はない。

「説得力」が2倍になる!? ㊙テクニック

最後に、声の抑揚の変化と同じような効果を生む、話し方の㊙テクニックをお伝えしよう。それは、

①話し方の緩急
②話すときの間（ま）

この2つのテクニックを取り入れた話し方をすることでも、信頼感、説得力を高められる。この①と②に共通するのが「ギャップ」を作る、ということだ。

ここでいう「ギャップ」とは、第1章でお伝えした「人柄のギャップ」ではなく、「話し方のギャップ」のことである。

信頼感や説得力を高めるための「ギャップのある話し方」。それには【緩急】と【間(ま)】が有効だ。

では1つずつ見ていこう。

①緩急

話し方のテンポは一定だと眠たくなる。いわば、なんの盛り上がりもない映画をぼんやりと見ているようなものだ。対して、主人公が穏やかな暮らしから、一転して苦労を重ねるとか、大きな危険に巻き込まれるなど、展開にメリハリがあると、一気に眠気が覚めて、映画の中に引き込まれていくだろう。

それと同じで、「話し方」にも、穏やかな調子もあれば、緊迫感のある話し方もあるし、感情のままに早口になることもある。**緩急がある話し方をするだけで、人を惹き付けることができる。**

そこで、である。命題の「信頼感」と「説得力」を緩急で作るにはどうすれば良いのか。

信頼感と説得力に結び付く【緩急】を「緊張」と「緩和」と言い換えてみよう。

これまで述べてきたように、「信頼」されるには「安心感」を抱いてもらうことが大事である。

ということは、話し方に、常に「緊張感」があると、相手はなかなか安心してくれない。

まずは「緩やか」「緩和」の話し方、要するに「ゆっくりと話す」ことが重要となる。

しかし、先ほど言ったように、**一定のテンポだとメリハリがない。**

そこで、**「緩やか」なテンポの途中に、「急ぐ」つまり「緊張」のある話し方を取り入れる。**

例えば、ゆっくりと世間話をしているときに、昨今の社会問題に話題が変わった瞬間、あなたが「緊張感」のある、少し早口な話し方になったとする。「緊張感」のある話し方ということは、表情も真剣になるはずだ。
先ほどまでの穏やかな表情と打って変わって、真剣な眼差しのあなた。加えて、例の「説得力」のある低音の声で文末を言い切ったとしたら？

「すごい。説得力がある」

と相手はあなたのギャップに惹きつけられるだろう。

この逆のパターンでも「信頼感」は生まれる。
最初、緊張感のある口調で早口に会社の問題点について話していたとする。ところが、話題が子どもの話になった途端、あなたの口調が「緩やか」になると、先ほどまでの緊張が「緩和」され、一気に場の空気が和らぐ。あなたの家庭人としての一面を見てギャップを感じ、相手は「安心感」「信頼感」を覚えるだろう。

このように、**話し方に「緩急」があるだけで、人を惹き付け、そのギャップから信頼感**

が生まれる。

ただし、**前者のパターン、「緩和」→「緊張」のギャップのほうがこの章のテーマ「説得力」をより感じさせるのに効果的だと言える。**

②間（ま）

「間」（ま）にはいろいろな効果がある。ざっと挙げただけでも次のとおりだ。

- 相手を落ち着かせるための時間
- 相手に理解してもらうための時間
- 大切な言葉の前もしくはあとに入れることで、大切さをより強調
- 話を転換するための時間
- 感動を高める
- ギャップを作る

これらすべて、話し方に必要な「間」であるが、ここでは特に「信頼感」「説得力」に

効果的な「間」の使い方にフォーカスしてみよう。

この「間」は、先ほどの「緩急」とともに使うと効果が高まり、その方法として、【溜め】と【余韻】がある。

この**【溜め】と【余韻】は、間の使い方によって、前と後ろの話し方にギャップを作るものだ。**話し方に〝緩急〟があると、より落差が生じる。

例えば、松岡修造ばりに、熱く身振り手振りをつけながら、早口で語っているとしよう。

「あなたにもできる！　考えてばかりいるから余計な時間ができて不安になってしまうんだ。動け！　すぐに動いてそれから考えたらいいいんだ！　そうすれば！！！」

ここまでは声を大きく力強くまくし立てるのだが、「そうすれば！！！」と言ったあと、黙る。3秒から5秒黙る。これが「溜め」だ。そして今度はゆっくりと、小さな声で言う。「あなたにもできる…」。そして、この「…」が余韻となり、相手は「あなたにもできる」という一言に説得力を感じながら、その言葉を噛み締める。

【溜め】と【余韻】という間の使い方は、このように〝緩急〟とセットで使うと生きる。

【溜め】は、どちらかというと早いテンポで話している途中で入れると効果的だ。

【余韻】には方法が2つある。

一つは先ほどの「あなたにもできる…」のように、**話すテンポを徐々にゆっくりスローダウンしていきながら話し終わることで、「…」のあいだに相手の心に沁みていくパターン。**

もう一つは、次の例文のように**相手に、問いかけの言葉を強く投げかけて話し終わることで、余韻が残る。**

「やればできるんだ、答えはもう出ている！　じゃああなたはどうする？」

この強い問いかけのあと、余韻を感じる間をとって、

◎話し方の緩急と間(ま)

そうすれば!!!
?!
………
溜めて間(ま)をとる
考えてばかりいるから余計な…
あなたにもできる！
動け！
テンポ良く、力強く
緩急のある話し方
強弱のある話し方と溜めと余韻
あなたにもできる…
以上です
余韻を感じさせる

「ありがとうございました」

こうして強く投げかけたまま話し終えることで、相手は自分で答えを探そうとする。

そして、心に響く問いかけを与えてくれたことに感謝し、信頼する、というわけだ。

説得力のある「声」と「話し方」は、多少話す内容に自信がなくとも、テクニックでカバーできる。

もちろん内容も伴っていないと、声に「人柄」が、話し方に「人間性」が現れるのでお気を付けいただきたい。

第4章 Point

- どれだけ「考え」どれだけ「行動」した『経験』があるのか、によって「説得力」が決まる。経験に基づく【信念】を持っている人こそ信頼される
- 説得力は「声の芯」と「文末」で決まる。文末だけ顔を上げて声を出して最後まで言い切ればOK
- 身体中を共鳴させてこそ、意思の強さや思いの熱さを語れる「芯」のある声になる
- 緩急がある話し方をするだけで、人を惹き付けることができる
- 信頼されるには「安心感」を抱いてもらうことが大事で、「緩やか」「緩和」の話し方、ゆっくり話すことが重要
- 「溜め」と「余韻」という間(ま)の使い方は、緩急とセットで生きる

第5章

この人なら！と心震わす「声のエネルギー」

朗読に見る、惹き付ける話し方

心を揺さぶる鍵

私にはフリーアナウンサー・ナレーターという肩書きに加えて「朗読家」という顔もある。

「朗読」というと、静かな優しい声と話し方をイメージするかもしれないが、そればかりではない。内容に応じて、激しくなったり、優しくなったり、さまざまである。

私は**「立体朗読法（３Ｄ朗読）」といって、聞き手自身が物語の世界に入り込み、あたかも３Ｄ映画を見ているかのような感覚になる朗読**をしている。

その手法を大まかに説明すると、次のようになる。

①映画のように、カメラワークを考える

②小説の内容に沿って、アップ、パーン、引きの図、ドローンによる上空からの映像などのイメージを作る
③誰の視点でカメラを構えるかを考える
④右の①～③のように映像構成を考えた上で、声のトーンや大小、共鳴させる場所を使い分けながら、話し方に緩急を付けて表現していく

単調な読み方ではワンカメとなってしまうので、いくつものカメラをセッティングして、映像を切り替えていくように、声を使って立体感を表現する。


これが立体朗読法の特色だと言える。

聴衆はその朗読を聴きながら、ストーリーの世界に自分の身を置いて、ハラハラしたり、溜め息をついたり、感動して涙を流してくれる。

朗読が長年愛され、自分でも朗読をしてみたいといって学ぶ人が多いのはこの「声」の世界に心震わせられるからだろう。

さて、ここからが本題である。その朗読法の中で、私は第4章でご紹介した説得力のある話し方の手法も取り入れている。それが④の「声のトーンや大小、共鳴と話し方の緩急

で表現」である（声の共鳴のさせ方は202〜205P参照）。

普段の「話し方」と「朗読」はまったくの別物だと思うかもしれないが、そんなことはない。人の感情を揺さぶるという点で、どちらも基本は同じ。相手に安心感を与えたり、共感を呼んだり、興味・関心を持ってもらい、信頼感を抱いてもらったりと、相手の感情を揺さぶることで惹き付けていく。

朗読は「声」の力と「話し方」の技術を使って、小説などの世界を表現しているのである。

声のエネルギーを可視化する

声の振動数と周波数

声には「エネルギー」がある。

第2章でお伝えした倍音（125P参照）などもその一つで、「なぜか惹き付けられる声」の人の持つ倍音が多ければ多いほど、声のエネルギーも高まる。

目には見えないが、確実に耳でそのエネルギーを感じ取っているからこそ、心が動く。

今、声のエネルギーは目に見えないと言ったが、実は可視化することができる。

日本音響研究所は、「音」の分析によって日本の犯罪捜査に協力している民間の研究所だ。事件に関わる「音」や「声」を詳細に分析することで、犯人のプロファイリング（犯人のパターンを推測）したり、環境音などから電話している場所を特定したりして事件解決に貢献している。

また、近年は、赤ちゃんが泣き止む「音」の研究成果を本にまとめ発表するなど（『赤ちゃんのぐずり泣きが止まる本』講談社）、人間の耳で聞こえるものから、聞き取れないものまで、可視化し、データ分析できるシステムを開発、研究している。

その日本音響研究所の所長・鈴木創（はじめ）さんが、私の声（声紋）を分析してくれた。

それが次ページのデータである。

◎下間都代子の声帯の振動数推移と周波数の分析結果

振動数の推移

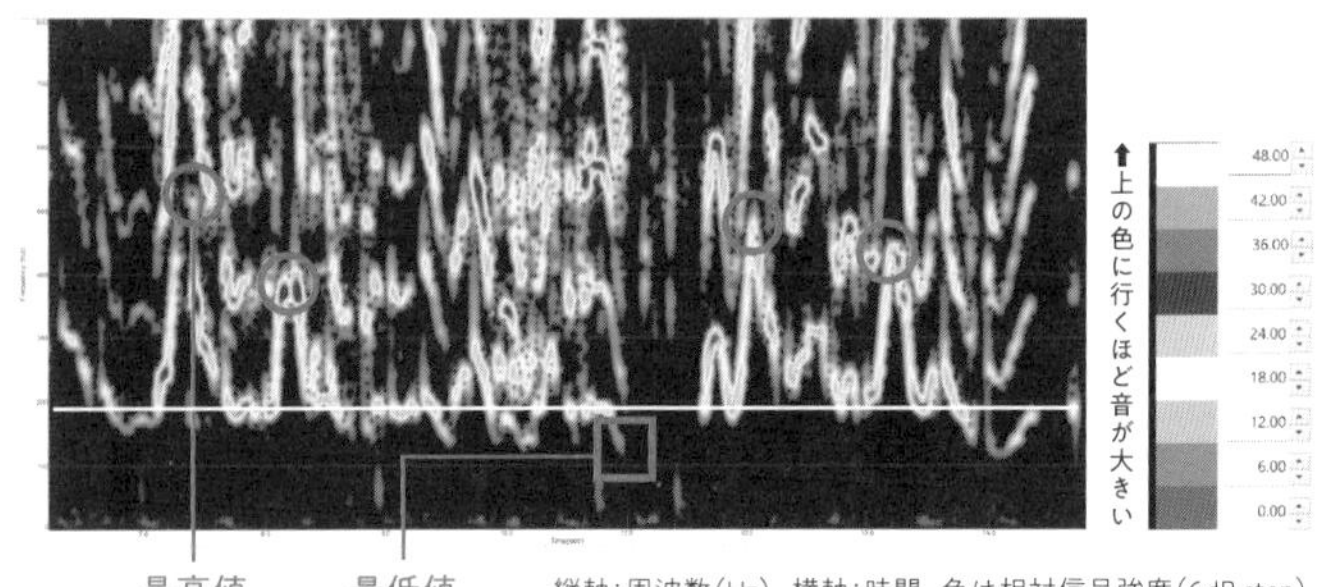

最高値
約550Hz

最低値
約120Hz

縦軸:周波数(Hz)、横軸:時間、色は相対信号強度(6dB step)
周波数分析の分解能:1024ポイント

基本的に白線の200Hz付近の女性にしては低い周波数をベースに、ここぞというときに赤丸の部分のようにピークを作っているメリハリのある語り口。

周波数の分析結果

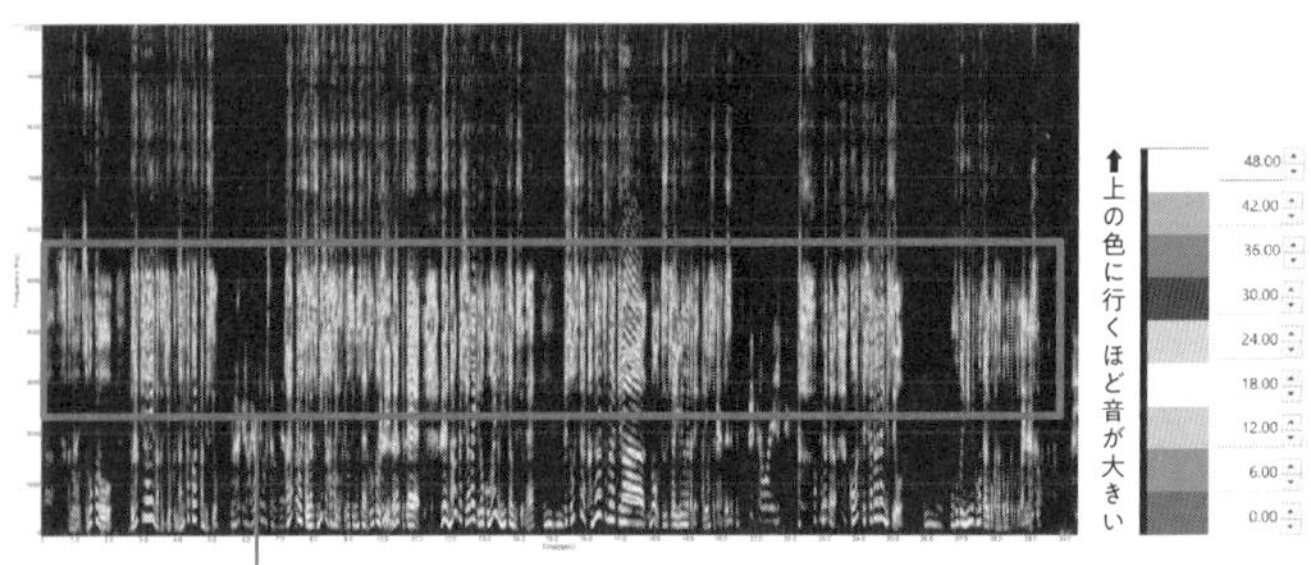

人間の聴覚感度が
最も良い周波数帯
3000 ～ 5000Hz

縦軸:周波数(Hz)、横軸:時間、色は相対信号強度(6dB step)
周波数分析の分解能:1024ポイント

(出所)日本音響研究所

鈴木さんによると、普通の人の話し声の声帯の振動数（ヘルツ）は、

・一般男性　100〜200ヘルツ
・一般女性　200〜300ヘルツ

これに対して、私の声は120〜550ヘルツだった。

この結果を見て言えることは、低い声を使って話をする中で、ときどき高い声で大切なことを強調するメリハリを加えて話しているということ。その**音の差が大きいので、より相手に伝わりやすくなる**。そして**時折、男性レベルの低音を出すことで、「安心感」「説得力」「信頼感」を持たせている**。

また、声の周波数にも鈴木さんは注目してくれた。分析結果を見ると、私の声は、人間の聴覚感度が最も良いとされる3000〜5000ヘルツで推移しているという。聞き取りやすい声であればあるほど、先ほどと同じく「安心感」「信頼感」は増す。

この結果からも、**音域が広くて低い声のほうが信頼を得やすい**のがわかる。

音域が広ければ、第4章で説明した声のトーンの高低差による「ギャップ」を使って、

信頼度を高めることもできる。

また、文末の声をしっかり下げて言い切ることで、自信を持った話し方に聞こえ、相手に「説得力」だけでなく「信頼感」を与えることができる。

このような声の音域を持つと、ドラマティックな声の出し方、話し方をすることによって、映画を観るように、あるいは音楽を聴くように、「相手の感情を揺らす」ことも可能だ。

私は、この「相手の感情を揺らす」ことはイコール「声のエネルギー」だと考えている。

「毒」にも「薬」にもなる声のエネルギー

相手の話に耳を傾けてみる。

声のトーンや抑揚、緩急と溜めや余韻を駆使したドラマティックな話し方。落ち着いた芯のある声と、軽妙な高い声の混合。ときに熱く、ときに穏やかな話しぶり。

その人の声や話を聴いているうちに、今まで自分が不安に思っていたことに対して「安心」したり、「チャレンジしてみよう」と思ったりする。

また、さっきまで辛い気持ちに包まれていたのに励まされたような気分になり、相手の声や話から元気をもらえたような気持ちになる。**相手からのエネルギーが声に乗って心に届いた瞬間だ。**

そして、笑ったり、涙したり、一緒になって怒ってみたり喜んでみたり、**感情が揺り動かされることによって相手との距離が近づき、好感を持ち始める。**

このように書くと、声よりも話し方のほうが大事に感じられるかもしれないが、その**前段階の「声」で勝負は決まっている**と言っても過言ではない。というのも、聴覚から脳に伝達する速度はたった0・3秒。

つまり、その人の**声を聞いただけで脳が「快」「不快」を〝秒〟で判断している**わけで、「快」と判断したからこそ、続きの話を聞こうと思える。そして、話し方の妙によって、いつしか「声のエネルギー」に包まれて、「この人は信頼できる」という結論に至る。

このとき、相手から受け取った「声のエネルギー」は、副作用のない薬のように自分の体に良い影響をもたらしてくれる。**自分が元気になり、幸せになれる「声のエネルギー」だ。**

それを受け取るだけでなく、自分も相手に送ることができたらどんなに幸せなことだろうか。ここまでお伝えしてきた方法を少しずつでも取り入れてもらえれば、あなたの声にも話し方にもエネルギーが宿る。

さて、この**「声のエネルギー」は、実はプラスのものばかりではない**ことをお伝えしておこう。**声の力で、「マイナス」のエネルギーを与えてしまう可能性もある。**

あるとき、私は運気にまつわる本を朗読していた。

朗読するときは、前述したように立体朗読法であるため、私自身、その文章の世界に入り込んでいた。そこに並んでいたのは、「ネガティブに考えてしまいがちな人」の言葉たちだった。

「どうして私ってダメなの」

「今日も悪いことが起こりそう」

「絶対うまくいくわけない」

私は、このとき、ネガティブになってしまう人の立場になりきって、このセリフを心の底から表現し、声に出していった。

すると…朗読し終わったとき、明らかに私の心までもがすっかりネガティブに侵されているではないか。聴いていた人たちも「気分が暗くなってしまった…」と口を揃えて言った。幸い、その文章の続きに、今度はポジティブな言葉があった。

「私なら大丈夫」
「今日も最高」
「絶対うまくいく」

私は気を取り直して、今度は全力で、その前向きなセリフを声に出した。

すると、不思議なことに、さっきまで暗かった気持ちがどんどん晴れていくではないか。

ほかの人たちも、一様に「あー元気になった！」と喜んだ。

それくらい、**声にはエネルギーがあり、「毒」にも「薬」にもなる。**

例えば、落ち込んでいる相手に対して、「あなたって運が悪いよね」などと、さらに追い討ちをかけるようなマイナスな言葉を声のエネルギーに乗せて送ってしまうなどもってのほかだ。

知らず知らずのうちに、誰かに「声の毒エネルギー」を発していないだろうか。

エネルギーのある声の使い方を間違えないで欲しい。

実はこの**「声のエネルギー」は、他人の声や話し方から受け取るだけではなく、自分自身の発する「声のエネルギー」にも影響を受けている。**

この一件があって以降、私は「声」と「話し方」のエネルギーを「薬」として応用できないものかと考え始めた。そして生まれたのが、「声の抑揚で脳を騙す。『声のポジトレ』(声のポジティブトレーニング)」である。

声のポジティブトレーニング『声のポジトレ』

「チャッター」と「アファメーション」

声の抑揚によって伝わる印象がずいぶん違うことは第2章で説明した。私の開発した**脳と心を元気にさせるメソッド『声のポジトレ』（声のポジティブトレーニング）**は、「抑揚」を使ったボイストレーニングだ。

私たちは無意識にいつも自分で自分自身に話しかけている。その「頭の中の喋り声」を「チャッター」という。イーサン・クロス氏は意識する心のコントロールに関する世界的な第一人者で、著書『Chatter（チャッター）：「頭の中のひとりごと」をコントロールし、最良の行動を導くための26の方法』（東洋経済新報社）の中で、チャッターについて次のような問題点を挙げている。

・過去の出来事の脅迫的な反芻（はんすう）

◎ 頭の中のひとり言は「骨導音」と「気導音」で効果が違う

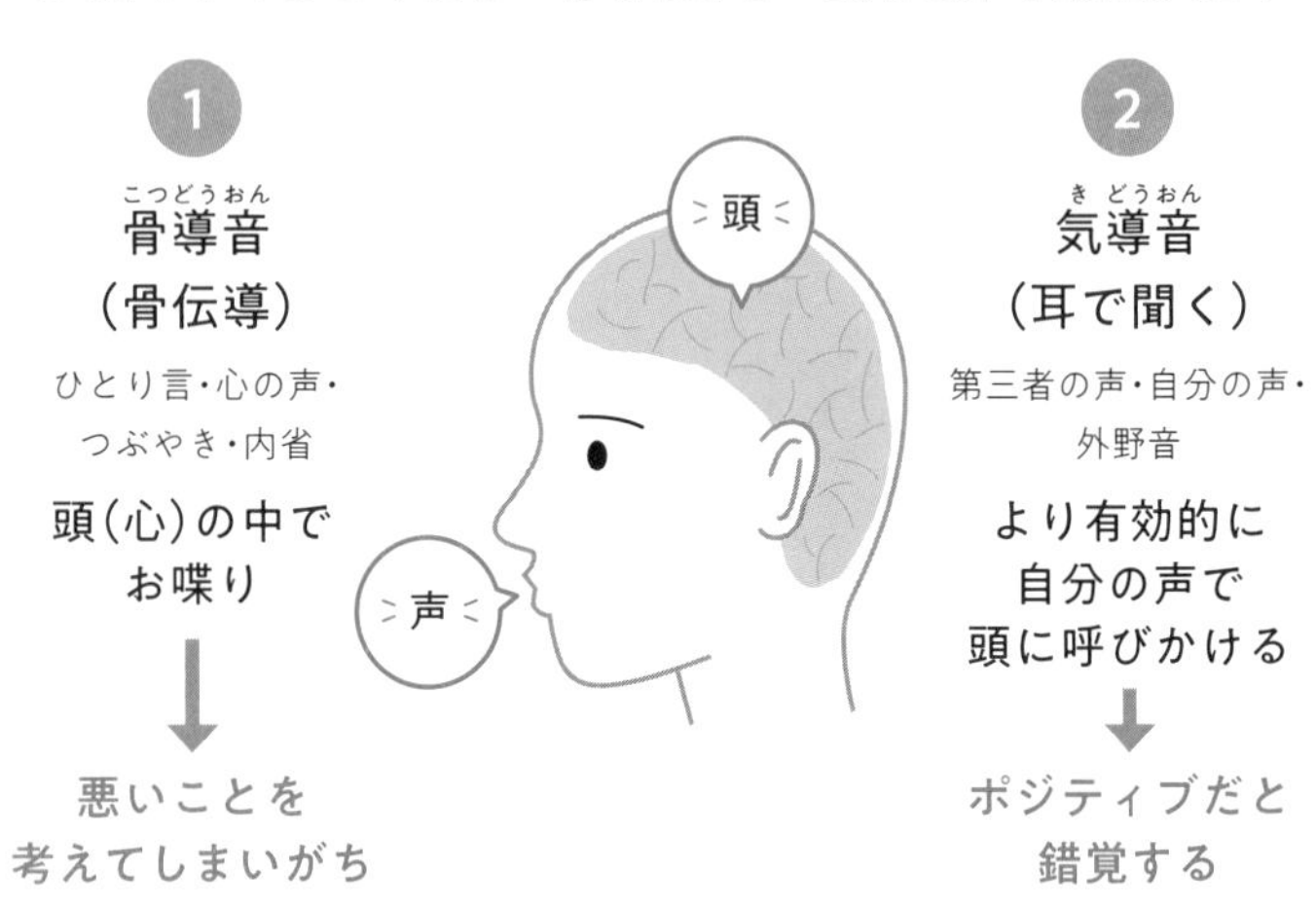

・未来の出来事への心配
・否定的な感情と観念のピンボール
・不愉快な感情や見解への病的執着

そのため、自分で自分を苦しめている。

この解決策の一つとして挙げているのが、

「自分自身へ話しかけるのをやめるのではなく、より有効的に話しかける方法を見つけること」

そこで、私が着目したのが、**頭の中の喋り声ではなく、きちんと耳から聴こえる**

「声」を出し、脳にポジティブなイメージを与えることだった。

「アファメーション」といって、自分で自己実現や自己達成をイメージする言葉を繰り返して宣言し、ネガティブな気持ちを払拭（ふっしょく）する方法がある。しかし、多くの人が、その際の「声」に感情がなく、**ただ棒読みの言葉を繰り返すばかりだ。**

これでは脳は「本気で思っていない」ことを見破ってしまう。

ここで、「抑揚」の話に戻る。

声の抑揚で脳を騙（だま）す

本書で私は、たとえ、話の内容が伴っていなくても声と話し方で「信頼される」ことができる！ とお伝えしている。同じように、ポジティブなワードを声に出して言うとき、本気で思っていなくても、**さも本気で思っているかのような「声の抑揚」をつけた言い方をするだけで、リアリティを持って聴こえてくる。**

そのことを私は「**声の抑揚で脳を騙（だま）す**」と言っている。

例えば、あなたがピアノのコンクールを目前にしているとする。

コンクールの日が近づくにつれて、チャッター（頭の中のひとり言）はこう言ってしまう。

「失敗したらどうしよう」

この思考を『声のポジトレ』で変化させるためには、自分自身に話しかける言葉をまずは変換することが必要だ。例えばポジティブな言葉の代表選手。

「絶対うまくいく」

現実、そんなふうに思えないのに、「絶対うまくいく」だなんて言えない、と思うかもしれない。または、とりあえず「絶対うまくいく、絶対うまくいく、絶対うまくいく」とおまじないのように唱えるかもしれない。言わないよりは言うほうが良いとは思うが、イーサン・クロス氏が言うように「**より有効的に話しかける方法**」を試したい。

そこで『声のポジトレ』では声の抑揚に**あえてメリハリをつける**。

ここでは**感情は伴わなくていい。「本気でそう思わないと！」**などと無理する必要はな**く、抑揚だけ変えれば、まるで本気で思っているかのような「声」になる。**

「絶対うまくいく」の場合、ポイントは「ぜ」と「た」の音の高低差をつけること。さらに「う」をしっかり高くして、「ま」を下げ、あえて『声のポジトレ』は、最後の「いく」の「く」を高くする。

最初は一音一音区切りながら声を出して音の高低を確かめ、練習してみて出せるようになったら、続けて発声してみる。ただこれだけである

どうだろう？　さも「本気で」思っているような声に聴こえてこないだろうか。二次元コードを読み取って、一緒に声の抑揚を真似してみて欲しい。

これを、大きな声で言い、自分の耳から脳に伝達させることで、自分自身の声でありながら、**他人から励まされているかのように感じることができ、次第にその気になってくる。**

これが『声のポジトレ』による、チャッター（頭の中のひとり言）を有効活用する方法だ。

抑揚例を聞いてみよう

〜 COLUMN 〜

声のポジトレ

その日は私の誕生日。私の友人がサプライズを企画し、突然たくさんの仲間たちがお祝いにやってきた。びっくりするやら嬉しいやら、私は戸惑いながら言った。

「私、あした死ぬのかな」

とんでもなく幸せに感じたとき、きっと次に何か悪いことが起こると思ってしまう。それくらい私はネガティブだった。

ポジティブ思考になりたい。でも、無理して考えを変えようとしても辛くなってしまう。

私と同じような思いをしている人たちもきっといるはず！　そこで考えたのが『声のポジトレ』だ。無理して思考を変えるのではなく、ただ、声の抑揚を変えるだけ。

脳と聴覚の仕組みを生かしたボイトレで、あなたは変われる。『声のポジトレ』は私の声の抑揚を真似するだけ。

「私、天才！」「今日も幸せ！」「運がいい！」

大人はもちろん、子どもたちに身につけてもらいたい、私の「天才的」なメソッドだと思う（笑）。

おかげ様で、私の思考はすっかりポジティブに変わりました。

「声の抑揚」で
脳を騙す！
言葉の色 ＝ 声の色

音の幅が鍵。自分や相手の感情を揺さぶるための５つの音「ドレミファソ」の抑揚テクニックで眠っている声を目覚めさせる！

信頼される声のエネルギー

さて、今、あなたは本書のテーマ「信頼される」という話からずれたように感じているかもしれない。実はこれこそが信頼される人に必要な「声」と「話し方」の極意である。

先ほどの**『声のポジトレ』は、自分自身のためにも使えるが、誰かに向かって声をかけるときにも非常に効果がある。**「絶対うまくいく」というワードで言うと、ここに「あなたなら」を加えるだけで良い。「田中さんなら」と名前を入れるともっと良い。

「田中さんなら絶対うまくいくよ」

このように**声の抑揚をうまく使って、リアリティのある声がけをすることによって、相手の心に届き、「この人が本気で言ってくれているなら、大丈夫かもしれない」とポジティブな暗示にかかる。**

日頃から「声」と「話し方」で人に良いエネルギーを送ることができれば、仕事も、プライベートも、あらゆる場面で人間関係に良い影響を与えられるだろう。

「声のエネルギー」を良い方向で活用することで、あなたの「信頼感」はますます高まっていくに違いない。

＊　＊　＊

ここまで、聞き方や話し方、声の出し方・使い方を説明してきたが、こうして改めて考えてみると、「声」だけでも、信頼感を得られる可能性が高くなることがわかる。極端なことを言えば、話す内容は多少薄くても誤魔化しがきくということだ。

とはいえ、薄っぺらい内容しか話せない人は、薄っぺらい人間に見えてしまう。いつかはそれがバレるので、本末転倒にはならないように、**話す内容をしっかり整えてから、この「声」と「話し方」のスキルを活用して、本物の「信頼」を勝ち得ていただきたい。**

「信頼される話し方」を実践するための大切なポイントについてもう一度確認しよう。

①話す内容…エビデンスや具体的な事例を用いた厚みのある内容であること

②声…………芯のある声、声のトーンと、抑揚の幅が広いこと
③話し方……緩急や間(ま)を使い、文末まで、はっきりと言い切ること

その上で、声で感情を揺さぶるエネルギーを加えていく。

さて、ここまでくると、そろそろ「早く試してみたい」とウズウズしているのではないだろうか。

信頼されるための「声と話し方の技術」はこれでひととおりお伝えした。ぜひ、繰り返し練習し、実践して欲しい。

ただ、私は、もっと「信頼される人」になるためには、「声」と「話し方」に加えて、もう一つエッセンスがあると、なお揺るぎないものになると考えている。

最後にそれをお伝えして、この本の締めくくりとしたい。

第5章 Point

- 声には「エネルギー」があり、「毒」にも「薬」にもなる。目には見えないが、確実に耳でそのエネルギーを感じ取っているからこそ、心が動く
- 私たちは無意識にいつも自分で自分自身に話しかけている。きちんと耳から聴こえる声を出し、自分の声で脳にポジティブなイメージを与える
- 抑揚にメリハリがあると、まるで本気で思っているかのような「声」になる
- 声の抑揚で脳を騙す。自分の声を外から聴覚をとおして脳に伝達させることで、他人から励まされているかのように感じることができる
- 「声のポジトレ」は、声の抑揚を使ったボイストレーニング。自分自身のためにも使えるが、誰かに向かって声をかけるときにも非常に効果がある

終章

もっと
信頼される人になる
「声と話し方」

言葉遣いで丁寧な関係を構築する

敬語の持つ信頼感

話し方でまだお伝えしていなかった「言葉遣い」について、ここで説明したい。

上司と部下、友人や家族など、相手によって言葉遣いが変わることは、社会人であればご存知だろう。

とはいえ、その正しい使い方、特に**「敬語」については、年齢問わず理解できていない人が結構いる**。

私がテレビを見ていて気になっている言葉遣いがこれ。

「いただいてみてください」

例えば、司会者がゲストに対して、名物のお菓子の味見をしてもらうときに言うひと言である。

何がおかしいかわかるだろうか？

「いただく」は、謙譲語であり、ゲスト自身が「ではいただきます」と言うならわかる。それを、司会者がゲストに対して言うのはおかしい。本来は尊敬語「お召し上がりくださ い」または丁寧語「お食べください」これが正しい使い方である。

双方ともに敬語の使い方を理解していないなら問題ないだろうが、片方は理解していて、片方は理解できていないとなると問題である。**敬語の使い方ができていないことで、相手に対する「信頼感」が薄れる**こともあるかもしれない。

完璧でなくとも「知らないより知っているほうが良い」「できないよりできるほうが良い」。これが私の考え方だ。

友人や家族など親しい関係においては、必ずしも敬語を使う必要はないので、ここでは「知り合い」「取引先」「職場」「初対面」の相手であることを前提に説明する。

このような相手と話すときは、**基本的に、相手が年上であろうが年下であろうが、「丁**

寧語」を使うのが良い。丁寧語の代表は文末の「です」「ます」と、名詞の上につく「お」（「ご」の場合もある）と、動詞の上につく「お」などがある。

なかでも「信頼」されるためにぜひ使いこなしたいのが「動詞の敬語」である。特に本書では、関係性を深めるための質問力を重要視しているので、【質問するときの敬語】をいくつかご紹介しよう。

質問するときの丁寧語と尊敬語

【丁寧語】	【尊敬語】
知っていますか？	ご存じでいらっしゃいますか？
好きですか？	お好きでいらっしゃいますか？
持っていますか？	お持ちでいらっしゃいますか？
気に入りましたか？	お気に召していただけましたか？
どう思いますか？	どのようにお考えになりますか？
どうでしょうか？	いかがでしょうか？
理解できましたか？	ご理解いただけましたでしょうか？

このように、**質問をするとき、相手に応じて丁寧語、尊敬語を使い分けることで、「自分はこの人に丁寧に扱われている」という印象を与える**ことができる。それは心地良いものであり、安心感にも繋がるので、「信頼」に直結しやすくなる。

また、【相槌を打つときに、ぜひ使ってもらいたい敬語】があるので紹介しておく。

第1章で「そうなんです」と言わせる質問力について述べたが、相手から「そうなんです」を引きだすだけでなく、相手に対して自分が「そうですね」と同意してあげることも、「安心」「信頼」に繋がる。

相槌の種類や相槌の入れ方については同じく第1章で述べているので、ご確認いただきたい。

では、この「そうですね」の敬語はどうなるかというと、

相槌を打つときの丁寧語と尊敬語

【丁寧語】	【尊敬語】
そのとおりです	おっしゃるとおりです

である。

私にとって、この「おっしゃるとおりです」という言葉は日常的に使っているのだが、あまり馴染(なじ)みがない、または使い慣れていない人も多いようだ。

ある日、夢実現プロデューサーでベストセラー作家の山﨑拓巳さんにインタビューしていたときのこと、私が「おっしゃるとおりですね！」と言うと、

「わあ、素敵な言葉」

と言われた。

自分にとっては当たり前のように使っているし、ビジネスシーンではお馴染みなので意外に思ったが、拓巳さんからすると違ったようだ。

確かに、**敬語はビジネスマナーとして扱われるが、日常の話し言葉の中でもスマートに使えることによって、ある種、【品格】を醸(かも)しだす**のかもしれない。

この品格についても、「信頼」に大きく結び付く考え方があるので続けてご紹介する。

「華」と「品」と少しの「毒」

信頼される人のバランス感覚

先ほど述べたとおり、敬語を使える人には【品格】を感じる。言葉遣いだけでなく、「芯のある声」や、「丁寧な話し方」、例えば、相手に応じて話すテンポを変えてあげたり、絶妙な相槌を入れたりなど、これができるだけでも【品】を感じさせることができる。

本書の冒頭にも書いたとおり、**声にはその人の「人柄」が現れ、話し方には「人間性」が現れる。そこに【品】のあるなしも感じられる。**

手前味噌ではあるが、私がナレーションをすると「作品の格が上がる」と言っていただけることがよくある。それは、第5章で声の分析をしてもらった結果と繋がるのだが、私の声が、人間にとって聴きやすい周波数であることと、倍音（声の膨らみや厚み）が多いことに由来すると考えられる。

ただ、「この人なら」と信じてついていきたくなる人は、「完璧なまでに品が良い人」なのか？　というと、必ずしもそうではないと思う。

思いだして欲しいのだが、第3章の「信頼される人の共通点」には次のようなものがあった。

裏表がない・感情が豊か・正直・素直・バランス感覚がある・ユーモアがある・愛がある・隙がある・明るい・好かれようと思っていない

この中の「裏表がない」という特徴について考えてみよう。

「裏表がない」ということは、「正直」とも言える。正直に意見を言う分、人から嫌われることもあるだろう。「好かれようと思っていない」という特徴にも繋がってくる。

誰に対しても丁寧で品格の高い人ではあるが、誰からも好かれようとは思っていない。一種相反するイメージでありながら、この絶妙なバランス感覚を持っている人に、人は信

頼感を覚えると言える。

毒は毒でも少しだけ

ここで注目したいのが「少しの毒」というキーワードである。

毒草の「ベラドンナ」は大量に摂取すると意識障害を引き起こし、幻覚や痙攣(けいれん)を起こすが、解毒剤としての効能も持っており、風邪薬に配合されている。また、あの猛毒の「トリカブト」も命を奪う危険があるものの、根っこの部分を使って作られた漢方薬は夜間の頻尿に効くそうだ。

では、人間性においての「毒」はというと、コミュニケーション上、有害となり、ときには人間関係を壊してしまう猛毒となることがあるので注意が必要だ。

しかし、先ほどの毒草と同じで、「毒」の出し方、見せ方によっては、「効能」もある。その人の「魅力」ともなり得る。

例えば、「ただ可愛いだけ」のアイドルよりも、「ほんの少しの毒」となるユーモアやウイットのある発言をするアイドルのほうが人気が高く、芸能人として長続きする。今のメディアでは、「**華やかで、品があり、少しの毒がある**」、この3つがバランスよく備わった人物が求められている。

同じように、「信頼される人」も、誰にでも意見を合わせる八方美人よりも、相手の意見に対して、時には違う意見をはっきりと言ったり、時に少し毒っ気のあるウィットに富んだ発言をするなど、場の空気をピリリとさせる人のほうが信頼される。

さらに、その際、正しいことを真っ向から主張するのではなく、相手の逃げ道を確保してあげた上で、ユーモアを交えながら意見を伝えることができると、**「少しの毒」におさえられ、コミュニケーション上での「薬」として効果的に使える。**

隙のある人は信頼される

第3章で、自分の失敗談を開示することによって、相手に安心感を抱かせることができるとお伝えしたように、**「完璧なまでに品の良い人」よりも、何かしら失敗経験があったり、抜けているところがあったりするほうが、かえって親近感を与え、「信頼」に繋がる**ことがある。

これは、「少しの毒」というより「少しの隙」と言うほうがふさわしいかもしれない。

このように、ユーモアに繋がるような「隙」をどこかしらに持っている人は、周りから愛される。そして、「いじられる」ことで、周囲が意見を言いやすい空気感を出す。ある一面では非常に「信頼」できるものの、違うある一面では「ちょっと頼りない」ことによって、「この人のために自分が協力してあげたい」と思う。

ここで大事なのが、そう思ってもらったときに、その人に「任せられるかどうか」である。「信頼される人の共通点」（158P参照）の中に、「隙がある」があったことを思いだして欲しい。完ぺきすぎると近寄りがたく、隙があるからこそ、親近感が湧き安心して任せたいと思える。

あなたはいかにも「私は完璧」という雰囲気を出している上司に対して、意見を言いやすいだろうか。

「きっと聞いてもらえない」と感じてしまい、何も言えなくなってしまうだろう。

一方、**少し隙がありながらも「信頼」できる上司には、意見を受け入れてくれる器（うつわ）の大きさを感じ、自分の考えが間違いであったとしても一度は伝えてみよう**という勇気を持つことができるだろう。「話すことは聞くこと」。これができなければ「信頼」には至らない。

裏表がないこと、ユーモアがあること、隙があることなど、それを完全な「毒」ではなく、「ほんの少しの毒」にとどめることが大切だ。

裏表がないからといって、本音を言いすぎれば「猛毒」となり、相手を傷つけることがある。ユーモアの域を越えれば「ハラスメント」になる。隙も度がすぎれば単なる「馬鹿」となる。このようなバランス感覚を持ち合わせているかどうかも、信頼される要素だろう。

さて、ここまで紹介してきたこれらの「毒」だが、実は、**「声」と「話し方」のスキルによって、「ほんの少しの毒」に和らげることができる。**

「華と品と毒」そのすべてをバランス良く備えた人は魅力的であり、それは「声を操るナレーターにも同じことが言える」と、日本のナレータープロダクショントップの株式会社ベルベットオフィス代表取締役である義村透さんは言う。

さらに、

「声の華」は、明るさ・艶・張り
「声と話し方の品」は、爽やかさ・丁寧さ・柔らかさ

であるというのが義村さんの見解だ。
つまり、**話す内容に毒があっても、この「声の華」と「声と話し方の品」があれば、「ほんの少しの毒」に変わる。**不思議なことに、明るさや爽やかさ、柔らかさのある「声」と「話し方」のおかげで「猛毒」が「ほんの少しの毒」に変わるではないか。男女問わず試して欲しい。

「凡人ですね」

TBSのテレビ番組『プレバト!』の「俳句コーナー」の先生として辛辣(しんらつ)なコメントが人気の俳人、夏井いつきさんのズバリ言う発言を聴いていると、スカッとする。
いつきさんの「凡人ですね」のひと言は、ともすれば「毒」のある言葉だが、にこやか

な表情で明るく、ハリのある声で言われると笑いに変わる。

知的で着物姿がかっこいいだけではなく、そこには品を感じさせるため、少々きつい言葉にも愛のある正直さが伝わるのだと思う。

「毒」が強すぎれば下品になる。

同じ「毒」でも、「少しの毒」を絶妙な分量で絶妙なタイミングで使えるバランス感覚を持っている人が信頼される人となる。

声と話し方と聴す心

「聴す」とは受け容れること

これまでお伝えしてきた「信頼される声と話し方」のポイント、芯のある声や、声の抑揚、相手に合わせた緩急や間（ま）、ほかにもたくさんあるが、これらはすべて誰のためにやっているのか？

もちろん自分自身が信頼されるためなのであるが、まずは相手のためにやることだ。ひとり言ではない。**「声」も「話し方」も相手があってはじめて生かされる。**

「話すことは聞くこと」。傾聴も、質問も、的確なまとめも同じで、相手ありき。

押し付けがましく、傲慢（ごうまん）な気持ちで話してはいけない。

相手に対してリスペクトし、大切にしているからこそ、時間も労力も使ってコミュニケーションをとることができる。この気持ちの底にあるのは何か。

それは「**愛**」だと思う。

「愛」などというと陳腐に聞こえるかもしれないが、コミュニケーションを図る上で、根底に「愛」があるからこそ、信頼感が生まれると考えている。

だからこそ、そんなあなたの態度に、相手は安心感を抱き、ヨロイを下ろし、理解してもらえる喜びを感じ、心の扉を開く。次に待っている感情は「好感」、そして…

「**信頼感**」だ。


そこで大切なのが、第1章でお伝えした「**受け止める覚悟**」。

そして序章に書いた「**聴す**」こと。

もう一度お伝えする。これは「ゆるす」と読む。

改めて聞きたい。この読み方を、あなたはご存知だっただろうか。本書を通じてはじめて知ったという方も多いかと思う。


「許す」

「赦す」

「聴す」


それぞれ使う場面に違いがある。

「許す」は許可をするとき。「赦す」は罪を放免するとき。そして「聴す」は耳を傾けたうえで、許可するとき。大まかに分けるとこういうことになる。

「耳を傾けたうえで」

これが、「聴す」に込められた想いだと知って、私は感動した。相手の話を聴き、すべてを「受け容れる」こと。「受け入れる」ではなく、より「承認」する意味合いが強い。**対等な立場で、真摯に耳を傾けることからコミュニケーションは始まる。「声」と「話し方」さらに、「聴す心」があれば、あなたの信頼は揺るぎないものとなる。**

相手の気持ちは穏やかになり、笑顔もこぼれるだろう。その中で築く信頼関係は、相手だけでなく、自分にとっても財産となる。

仕事だけでなく、プライベートでも、家族の間でも、信頼されて損することは1ミリもない。

「声」と「話し方」が変われば信頼される。信頼してくれる人が周りにいる人生は愛にあふれ、応援される豊かな毎日となるはずだ。

「話すことは聞くこと」そして「聴す心」は、話すことを生業とするプロとして、常に忘れたくない精神だと思っている。

ヨロイのいらない声の世界

ある晩のこと。行きつけのバーに足を運んだ。このバーのマスターのおかげで、私は業種問わずいろいろな友人ができた。建築家や弁護士、イタリアンのシェフにフラメンコの先生まで。そのマスターが改めてこんなことを言った。

「下間さんって、結局、声が良いんっすよね。何言ってもその声だから良く聴こえる」

「何よ、たまに良いことも言ってるわよ！」

と、言い返してみたが、考えてみると、まんざらでもない考察である。

確かに以前から仕事先では「信頼感のある声」とか「説得力がある」とか、最近では「クラス感がある」などと評され、我ながら持って生まれた自分の声に感謝していた。そう。すべては私の持って生まれた声質と才能によるものだと納得していたのだ。だから、マスターに言われたときも、なんだかんだ言い返しながら、

「確かになあ。マスター、うまいこと言うなあ」と考えていた。だがしかし、そのあと、

よくよく考えてみたとき、実はそうでもないと気が付いた。

「はじめに」で書いたとおり、しわがれた声でも掠（かす）れた声でも、良い声の人はたくさんいる。ということは、**声の質や才能とは関係なく、「良いことを言っているかのように」聞こえるには、何か法則があるはずだ**と考えたのだ。

「低い声」は信頼されやすいなど、よく聞く定説だけではない。**低ければ良いわけではなく、そこに、声のトーンや抑揚、話し方の力があってはじめて信頼感が生まれる。**

そしてこれらは持って生まれた才能ではなく、練習すれば身につけることができるものだと気が付いた。

学びの場はどこにでもある。遊びに行った先でも、飲みに行った店でも、テレビでもネットでも、カフェで隣に座っている他人の話でも。

いつでもどんな場所でも、心をフラットにしていると、自分にとってメリットのある情報がどんどん入ってくる。そのとき、重いヨロイをつけていてはいけない。ヨロイを身につけていると、素直な気持ちで受け止められず、跳ね返してしまうからだ。

信頼関係を築けた相手に対してヨロイを脱いだ人は、きっとこれから、その相手の良い影響を受けながら成長していくことだろう。また、信頼関係を築けたことで、相手のヨロイを下ろすことができた人は、その人との絶妙な距離感を保ちながら、さらに良い関係を築いていくことができるに違いない。

ヨロイの代わりに「信頼」という絆で結ばれた関係は、太く長く続いていく。

おわりに——声の価値を知った日

小さい頃、私がまだ小学生だったとき、地元の合唱団に入っていた。信じられないかもしれないが、忘れもしない、当時、私は「ソプラノ」で、「とよちゃんは声が綺麗で歌がうまい」と小学校4年生のときの先生に褒められ、たいそう嬉しかった記憶がある。国語の音読も大好きで、積極的に手をあげていた。

ところが、中学生になる頃からどんどん身長が伸び始め、声が低くなっていった。レースのついた洋服が好きだったし、可愛い喋り方もしたいのに、どんどん見た目も声も不釣り合いになっていった。

そんな中、中学3年生のある日、保健委員長だった私は校内放送を担当した。

「今月の目標は手を洗いましょうです」

確かこんなありきたりの内容だったと記憶している。放送室から出たところで、一人の男性教師に呼び止められた。

「今、放送したの君？」

「はい」

「良い声してるね、アナウンサーになれるよ」

これが私の運命の分かれ道だった。

なんの取り柄もないし、自慢のソプラノボイスもなくなってしまった私に贈られた、魔法のひと言。実は、その先生は転勤してきたばかりで、これまで一度も話したことがなかった。それなのに、あのときの私は、先生のたったひと言を、しかも〝秒〟で信じてしまった。まるで魔法にかかったかのように。

あの日から、私は、ようやく見つけた、ただ一つの取り柄を磨いて、学び、チャレンジし、アナウンサーとなった。そして、今、こうして本を出版することができた。

この喜びと幸せを誰と分かち合おうか。

両親は他界し、もういない。私のことが大好きだった兄も早くに亡くなった。

でも、いつも私のことを応援してくれている姉がいる。自由にやりたいことをやってい
る私を見守ってくれている夫がいる。

それだけではない。うっかり者の私を毎度笑って許してくれている友人たち。

「都代子さんの夢は私の夢」と言って応援してくれる、『耳ビジ』コミュニティメンバー
のみんながいる。

多くの信頼できる人たちと喜びや幸せを分かち合いたい。

今回「本」というスタイルで、この「声」と「話し方」のスキルを皆様にお伝えした。
私は声を生業にしているので、今後は本と併せて、生の声、私のリアルな話し方で、より
多くの方に「信頼関係」の築き方をお伝えしていきたいと考えている。

この本を企画し、出版するにあたり、多くの方に協力していただいた。

人のためなら全力で応援するのに、自分のこととなると妙にモジモジしてしまう私を、

出版の世界へ、どんっと背中を押してくれた望月俊孝さんをはじめ、本田健さん、弓削徹さん、山口拓朗さん、岡崎かつひろさん、戸田美紀さん、尾藤克之さん、高橋貴子さん、吉井雅之さんほか、アドバイスをしてくださった多くのビジネス書著者のみなさんに感謝申し上げます。

そして、『耳ビジ』の3年間をともに支えてくれた三木英彰さん、伊東綾子さん、耳ビジサポーターズクラブ設立のため何度も作戦会議に付き合ってくれた川上徹也さん、義村透さんには、心からの感謝を込めて、私の人生の中で一番の「声の抑揚」をつけた「ありがとう」を言いたい。

最後に、「都代子さんの初めての本は自分が手がけたい」と申し出てくれた日本実業出版社の中尾淳編集長、ありがとうございました。

2024年5月吉日

下間都代子

information

下間都代子ホームページはこちら

「暗記不要！信頼される人のスピーチ㊙テク講座」
動画プレゼント
セミナーや講演のご依頼もこちらからどうぞ

▼

※なおプレゼント動画は予告なく終了することがあります

ファンと繋がる下間都代子 LINE 公式はこちら

下間都代子の出演情報・プライベートな話や写真など
配信しています

▼

下間都代子（しもつま とよこ）

声・話し方の総合プロデューサー。

元FM802アナウンサー。現在フリーのアナウンサー、ナレーターとしてテレビの報道情報番組やCMほか声の仕事で多方面に活動。また話し方、コミュニケーション、発声の講座や個人コンサルの講師としても活躍中。阪急電鉄の車内放送、京阪電車の駅構内放送などで関西では特に著名。指導歴としては声優・ナレーター養成所やタレントプロダクション、NHK文化センターなどで、ボイストレーニングや話し方、ナレーションの講師を歴任。30年以上3000名を超える指導経験を持つ。

また、より朗読の神髄を極めるためナレーター槇大輔氏のもとで10年に渡り学び、朗読や朗読劇などの舞台に出演。朗読家としてイベントに招かれている。

音声SNSの番組『耳ビジ★耳で読むビジネス書』では年間60冊超のビジネス書を朗読。著者を深掘りするインタビューで、「映像が浮かんでくる」「心に届く」「元気になる」などの声を著者やリスナーからもらい、現在フォロワー数約5000人を持つ。

Instagramでは「電車の声の人」として投稿10日で100万回超再生とバズり中。


「この人(ひと)なら！」と秒(びょう)で信頼(しんらい)される声(こえ)と話(はな)し方(かた)

2024年 5 月20日　初版発行
2024年 6 月10日　第3刷発行

著　者　下間都代子 ©T.Shimotsuma 2024
発行者　杉本淳一

発行所　株式会社日本実業出版社　東京都新宿区市谷本村町3−29 〒162−0845
編集部 ☎03−3268−5651
営業部 ☎03−3268−5161　振　替　00170−1−25349
https://www.njg.co.jp/

印刷／壮 光 舎　　製本／若林製本

ISBN 978-4-534-06104-1　Printed in JAPAN